CW00551582

Là où va le feu
1er Journal

Thibault Vié

Là où va le feu

1er Journal

Roman

ISBN : 979-10-377-6104-0

Année 2, mois 7

Là où va le feu, est là où s'avancent mes pas. Ce sont ces instants qui mènent d'une survie à l'autre. Ce sont ces lignes que j'écris le soir en cuisant le repas que la jungle m'a offert. C'est suivre le chemin des braises qui s'évadent dans l'obscurité. Le dernier long voyage de mes empreintes…

Ceci fut mon journal d'un entre deux mondes, ouvert dans le désespoir d'une mort certaine, achevé dans la certitude d'une vie nouvelle.

La terre ne s'est pas réincarnée, elle s'est régénérée. Et moi avec.

Tom Lancéphale, terrien déchu

Ruines

Fragments de notes - septembre à novembre 2053 :
4e mois de sécheresse

Plus de Biafine, bonjour la peau de cobra pour demain. Ils appelaient ça planète étuve, eh bien la voici. Nous avons muté en une espèce nocturne, des êtres devenus proies du soleil. Ça y est, là il est parti carboniser les terres de l'ouest mais dans 6 heures, il reviendra chez nous pour le prochain tour de broche. Et alors il faudra se cacher, avancer à couvert. Avancer, à couvert, et puis c'est tout. L'objectif ? À boire, à manger, de l'ombre. Basta. Il sera là le bonheur, un ruisseau d'eau fraîche et cristalline cascadant tes entrailles. Je m'assèche. Surtout, n'oublie rien terrien, t'es rien de rien tuer, ouais terrien, tu n'es plus rien sur cette terre de plus rien. Tu veux en finir terrien ? OK, alors vautre-toi au sol demain dès 6 heures et le soleil t'emportera dans sa lumière. Flash ! Au bûcher, adios l'hérétique. Pulvérisé, peaulvérisé, chairvérisé, osvérisé, âmevérisé… Des rayons de lave. Un grand marasme. Ravi d'être né, merci maman, merci papa.

Réserves : eau 1.6L, 2 barres de céréales.

Solo depuis les 10 jours que j'ai lâché la troupe folle. À contre sens sur l'autoroute, le goudron visqueux qui colle aux pattes. Vallée de la mort. Quelques voitures HS, quelques stations essence HS, quelques cadavres HS. Comme une balade à Pompéi. Odeur de roussi. Narines brûlées. Gorge enflammée. Air opaque. Nuit ocre sombre. Même pas un cactus qui pousse. J'ai un plan, il faut marcher vers le sud. Là où les hommes ne sont plus que souvenir. Là où dans la débandade ils n'ont pas eu le temps de faire bagage… Ensuite, il faudra creuser. S'éloigner loin, ouais loin dans les profondeurs. Les autres migrent vers le nord et la damnation alors que la survie se trouve juste sous leurs pieds dans le taudis des taupes.

Réserves : eau 0.7L, avoine d'écurie 450G.

Des ruines arides, partout. Mare de boue bien amère. Neige de cendres. Ciel rougeâtre, coucher de soleil magnifique. L'eau est l'or maintenant, la denrée disparue, qui l'eût cru ? Les marketeux s'en arracheraient les cheveux. Ville, ville à l'horizon ! Des usines, des magasins, des maisons, des immeubles, des bistrots, des parcs, un stade. Tous silencieux. Drôle d'oasis. Fouilles alimentaires. Trouvailles. Ça ravigote.

Fragments de notes fin 2053 – début 2054

Rassasié. 3 nuits que je creuse mon trou à coup de pelle-bêche. Tout est prêt et voilà… J'y suis, ancré 5 mètres sous terre. La vie de caverne commence. Un étroit tunnel me relie à la surface, il me fournit air et lumière. Enfin un peu de fraîcheur, moi qui pensais finir brûlé vif à force de rester planté là-haut comme un piquet. Avant de descendre pour de bon, j'ai tué une charogne en lui fracassant le crâne aussi à coup de pelle-bêche. Légitime défense, c'est lui qui voulait s'en prendre à mon stock de vivres ramassés un peu partout dans la flopée de maisons mortes que je fouillais depuis des semaines. Maisons, supermarchés, usines… Tout est bon à prendre pour l'homo-mori de la post-histoire.

« Éloigne-toi de ça ou jt'écaille », me disait-il, tout tremblotant qu'il était en pointant sa petite lame vers mes réserves.

Je n'étais pas plus homme qu'il ne l'était plus. Oui, il fallait en arriver là, notre famine dévora notre humanité en dernière ration de survie. Désolé vieux, mais c'est pas comme ça qu'on demande de l'aide à son prochain. Et c'est pour cette raison que je t'ai enfoncé ma pelle en pleine face. Ce vautour m'aura quand même planté la cuisse pendant le corps à corps. Triste affaire, l'un sur l'autre se roulant au sol jusqu'à sombrer au fond de mon puits. Par chance, j'y avais laissé ma pelle qui creuse apparemment aussi bien la terre que la cervelle. Merci pour le t-shirt néanmoins, il ne te servira plus alors il sera mon pansement. Terrible, il y a encore quelques mois je ne me pensais pas capable de tuer quelqu'un. Oui mais ici chez nous – les terriens –, le vent a tourné, le sang a chauffé.

Fallait-il manger cet homme ? C'était sans doute l'idée la plus sage mais je ne pouvais m'y résoudre. Arrivée dans ses derniers retranchements la faim donne raison à tout et ça même pour le plus avisé des hommes. Mais non, pas encore pour moi. Allez ouste, hors de mon trou avant que ça n'empeste le cadavre. Les flammes du soleil s'occuperont du corps. Vu la température, il sera devenu poussière planante d'ici le mois prochain et excellent fertilisant pour le monde d'après. Fallait-il vraiment ne pas manger cet homme ? Ce si gros morceau de viande, j'y vois du gâchis, j'y vois un festin, j'y vois mon dernier élan de lucidité, j'y vois cette sécheresse… Rôtissant sa cher et chère chair humaine.

Nous

Aujourd'hui et cette semaine (peut-être juin 2054) : Réflexions souterraines

Il n'y aura donc pas eu de troisième grande guerre ni d'holocauste ou de virus mortel… Les machines n'auront pas non plus mené de grande révolution contre leurs propres géniteurs. Non, rien de tout cela n'eut raison de nous. Je pense qu'il fut simplement venu l'âge où, la vie était devenue tempête pour tout homme foulant la terre et où, le vent ne s'épuisait guère plus à balayer les frasques de notre passage. Dès son premier feu, l'homme enclencha les rouages si bien huilés de la machine infernale qu'est son évolution. À peine les premières étincelles furent-elles déployées dans l'atmosphère qu'il n'était plus que question de temps avant que ne sonne la fin du frotteur de silex.

Le climat nous a-t-il tués ? Oui et non. Il a fini le travail. Nous étouffant nous-mêmes dans les sueurs de nos efforts hydrocarbures, il est venu nous achever. Fini la bourlingue, place au silence. 6 mois que je vis ici. Confiné dans ma crypte, j'écris ces lignes, pour sortir de l'ennui et pour ne pas m'embourber dans l'oubli. J'attends que quelque chose se passe, miracle, catastrophe, pfff plus m'importe. Ces lignes, je les écris aussi pour laisser une trace, un message à qui saura un jour me lire...

D'autres survivants je l'espère, ou probablement l'un de ces nouveaux terriens âne-alpha-bête de dans des milliers d'années.

En cette ère obscure de l'histoire, il me sera difficile de trouver un éditeur, c'est pourquoi cet ouvrage paraîtra en un unique exemplaire à savoir ce journal de bord que vous aurez sans doute retrouvé là et las sur ma dépouille. Mais certainement qu'à ce temps-là, les mots seront déjà tombés dans l'oubli. Tel un alphabet hiéroglyphique… Alors, à quoi bon écrire dans ce cas ? La chance de trouver un lecteur est infime mais pour autant, ce journal est mon compagnon d'infortune, il sera bientôt mon meilleur ami, mon grand confident. Celui qui ne demande que des mots sur du papier pour son bonheur.

Autre semaine de juin 2054, autres réflexions

Si la vie est fugitive de l'univers, la planète terre en est le seul refuge connu des hommes. Là, on nous y donna l'humus, l'air, le soleil, l'eau, les arbres et les pierres. Nous en fîmes du feu puis des lampes, des outils puis des armes, des huttes puis des villes, des peintures puis des livres, du commerce puis des guerres… Sur sa propre échelle d'évolution, l'homme fut d'abord un survivant alors la terre était son cocon. Par la suite, il devint chasseur et cultivateur alors la terre était sa ferme. Lorsqu'il devint artisan, la terre était son atelier. Le temps filant, il muta en mineur, naturaliste, conquérant, scientifique, biochimiste… Alors la terre se mua pour lui en carrière, jardin, champ de bataille, laboratoire, usine… Mais c'est en en changeant trop la fonction première que la terre est maintenant devenue un véritable brasier. Une sphère en fusion dont le fin tapis de cendre m'abrite encore de la totale perdition.

Avant mon temps, l'humanité suivait son cours en laissant vaquer dans son sillage des œuvres somptueuses et une histoire si vaste que je ne peux que m'efforcer de prolonger à travers ces lignes. Néanmoins, il y a des (r)évolutions dont on ne se relève pas. L'homme n'est plus un loup pour l'homme, il est devenu un piège à loup pour l'homme. Il est les crocs d'acier de sa propre extinction.

« Arrêtez-vous ! » nous criaient les scientifiques à coup de langue fourchue. Car oui, la vie sur terre courait un vil péril. Pour nous sauver, il aurait fallu tout réinventer. Mais que faire quand le capitaine du navire n'a d'yeux que pour l'huile des baleines tandis que ses sbires chargent les mutins ? Seuls dirigeants au gouvernail, le cap de la capitainerie était à l'Eldorado et ils nous y perdirent tous sans même trouver trace de nos fins éclaireurs conquistadores.

Quelle belle chevauchée fut celle de l'humanité renégate. Paysagez-la, piétinant allégrement mère Nature au dos de sa fidèle monture – une jument majestueuse que j'appellerai Tornada.

La destination de notre cavalcade n'existe pas encore car elle n'a pas été – et ne sera jamais – vraiment prédéfinie. Depuis notre départ, on galope et on improvise sans trop se soucier du reste. Nous pourrions néanmoins nous accorder à dire que notre quête se dirige obstinément vers le progrès. Horizon vague qui nous échappe toujours plus à mesure que nous nous en approchons. Ce n'est pas grave, il est là, on le voit, il se montre en vapeur de mirage alors on le suit, on l'observe, on le fantasme… L'ultime progrès, un jour je le sais nous t'attraperons et alors enfin nous tirerons sur les rênes de Tornada qui s'arrêtera pour souffler un peu. L'ultime progrès, c'est comme qui dirait notre Graal lorsque nous l'aurons trouvé nous serons devenus de grands dieux, monarques immortels et tout-puissants.

Steppes, sierras, plaines, vallées, montagnes, forêt, plages, déserts… La route est belle, la route est pure. En chemin, la cavalière sème par-ci par-là une petite pousse de village qui fleurira en mégalopole coloniale. En croupe de monture, tout un tas de lourds et encombrants bagages qui s'accumulent d'année en année. Vous cherchez l'humanité ? Suivez notre crottin d'ordures nous nous débarrassons souvent du démodé. Vous cherchez votre azimut ? Notre nuée de poussière toxique vous guidera même dans la nuit. Que Tornada s'épuise et nous lui greffons une nouvelle paire de jambes à propulsion mécanique. Qu'elle ralentisse encore, qu'elle se rebelle ? Un bon coup d'éperons et ça repart pour une traînée de sueurs gazeuses. Il n'y a que son cœur que nous n'ayons pas changé en machine. Son battement demeure inclonable alors tant qu'il tient, nous tenons. Pour le reste de ses membres, il ne fut et ne sera jamais qu'affaire de recherches et d'innovations.

Initialement majestueuses, l'humanité et sa jument ne sont aujourd'hui plus que deux squelettes éperdus traçant leur route vers elles ne savent où. Parjures fuyantes du dieu soleil luisant en leur dos, il a déjà dépecé la peau mais il ira jusqu'à irradier les os. L'ultime progrès s'éloigne, il gagne devant nous, il se dérobe sous nos yeux secs de larmes. On ordonne de redoubler en coups d'éperons mais rien à faire, à bout de souffle, Tornada s'emballe puis s'effondre. Emporté dans son élan, le squelette de l'humanité plane un instant en apesanteur puis s'étale au sol pour ne pas y mordre la poussière mais bel et bien s'y fondre.

Un monde hypoglycémique, une civilisation qui se dissout, un parterre de gruyère, des anges déchus. Plus rien ne sortirait de l'épiderme de la terre désormais, il avait été cyclé qu'elle n'offrirait plus gîte au vivant pour les quelques prochaines années. Moi qui humain, recherche oxygène, eau et nourriture n'a plus qu'à me résoudre à pourrir.

Cela fait donc 6 mois que je vis ici, foré dans les profondeurs du passé sous une ville dont je ne connais même pas le nom. J'ai creusé mon trou dans l'arrière jardin d'une maison de campagne qui n'était pas la mienne alors que le monde moderne cédait au tumulte général.

Ma caverne fait environ 3 mètres de longueur pour 1 m de largeur sur 1,50 m de hauteur. Mon régime alimentaire ne se compose que d'une soupe froide accompagnée d'une cuillérée de haricots ou de lentilles une fois par jour. Un verre d'eau le soir. Avec cette chaleur, il serait mal avisé de faire un feu alors je mange crus mes aliments. Je m'accorde une petite douceur de temps à autre quand le moral redescend (à savoir une poignée de chocolat en poudre, du lait concentré ou une pincée de fruits secs). Je me demande parfois pourquoi je ne transformerais pas toutes ces rations en grand festin d'adieu. Néanmoins, ayant hérité de cette inextricable accroche à la vie si chère aux humains, j'ai opté pour la survie et donc le rationnement dans l'attente de jours meilleurs. Les nuits sont courtes, 4 à 5 heures tout au plus selon les jours, le soleil ne semble jamais se coucher car même si sa lueur faiblit elle ne s'éteint jamais. Quelques exercices physiques pour maintenir mon corps en état de forme. Un pot en guise de litière que je remplis de terre une fois la tâche accomplie et que je n'utilise que très rarement (en cause, mon rationnement drastique). J'aurais aimé ajouter une bibliothèque à ma hutte pour pouvoir m'évader de ce triste quotidien le temps d'un récit d'aventures. Mais mis à part toi cher carnet, il ne me reste que mes souvenirs de l'ancien monde qui puisse me rendre le sourire et dans lesquels je vagabonde continuellement. J'y retrouve ma famille, mes amis chers et ce que nous partagions ensemble. La nostalgie du bon vieux temps est une fièvre foudroyante.

C'est fini pour nous mais la jungle, la savane, la brousse et les forêts repousseront... La nature sait se recroqueviller en silence et se montrer patiente. Alors elle reviendra conquérir nos villes perdues. Sacré spectacle, des lianes... Partout... Envahissant nos murs comme s'ils étaient des temples Maya. J'entends parfois la terre qui craquelle discrètement, et dans ma hutte, les murs s'effritent. Signe d'un nouvel âge qui gronde, il est le son des plaques tectoniques entrant en collision, le son des montagnes émergeant du sol et des continents qui se déchirent. Mais qu'en disent nos satellites toujours en orbite ? À quoi ressemblera la terre nouvelle ? D'autres l'exploreront comme le faisaient jadis nos ancêtres.

À vous futurs terriens, héritiers des premiers hommes, puissiez-vous lire un jour ces lignes et quand reviendra ce temps où les arbres vous feront ombre et oxygène, faites en vos divinités. Méritez votre terre, méritez son eau, son air, sa faune, sa flore, ses vibrations...

Amazonie

6 ou 7e mois sous terre : Souvenir de vie

Avant la fin de nous, ma vie se passe en France. Les copains, la famille, la fête, l'aventure à droite à gauche, les petits boulots, une énième séparation et me revoilà en quête de perdition. Je m'improvise reporter d'image spécialisé dans la protection de l'environnement. Sorte de paparazzi défenseur de la cause environnementale et animal si vous voulez. Métier ingrat mais enfin quelque chose qui me fait vibrer, une vraie bataille à laquelle participer. Je travaille pour une coopérative couvrant des sujets un peu partout dans le monde. Nous squattons les locaux de la rédaction et notre rémunération vient des poches de quelques généreux donateurs.

2052 Guyane Française, installé dans un hôtel miteux je prépare mon prochain reportage photo. Il portera sur la forêt Amazonienne, sa faune, sa flore, son massacre à chair vive. Elle qui saigne du nord au sud et d'est en ouest, elle aurait besoin d'un bon garrot, mais à la place nous décidons de l'amputer toujours un peu plus haut vers les poumons puis le cœur. Je ne suis qu'à quelques kilomètres de la frontière Brésilienne que je passerai incognito une fois mon attirail d'aventurier complété. C'est pour demain.

Sur terre, le bois est l'origine de tout, il oxygène, abrite, réchauffe, meuble une maison, s'imprime, se lit, se brûle, se recycle… Il est devenu rare, vulnérable. Depuis le début du siècle, la forêt amazonienne est l'atout économique majeur du Brésil. Il est donc tout naturel que l'on ne puisse en observer l'exploitation de trop près, et cela vaut d'autant plus pour les journalistes étrangers qui ne passent plus les postes de frontière depuis quelques années déjà. Il est aussi encore le temps ou avec la valeur de l'argent, nous pouvons toujours acheter le regard des hommes.

Jour-J, adieu hôtel miteux à présent je me faufile vers l'ouest à travers les mailles du filet laissant traîner quelques billets par ci par là. Voilà, je quitte les routes et pénètre au cœur de la sublime Amazonie. J'arpenterais pendant une semaine cette vaste forêt tropicale, un territoire primaire, centre vierge de la main de l'homme constituant un ultime refuge à la vie sauvage. 70 % de la flore a été ravagé au cours des 100 dernières années, je contemple alors avec à la fois émerveillement et tristesse les derniers remparts de mère Nature qui entonne doucement son chant de mort. Un jour ou l'autre, son heure viendra en notre nom, celui des hommes. Je ne suis pas seul, il y a des petits villages qui apparaissent au milieu des arbres. Les habitants sont d'un autre siècle, arriérés, craintifs… Je ne m'approche pas plus que ça. Pas de photos, ils me prendraient pour un sorcier à abattre.

Arrivé à un village de pêcheurs aux abords de l'Amazone, je monte à la poupe d'un petit remorqueur pour descendre le fleuve, et rejoindre la ville de Manaus, épicentre historique de la déforestation amazonienne. En chemin, les abords boisés de la rivière se font de plus en plus silencieux jusqu'à en devenir totalement muets sur quelques kilomètres. Le temps d'une courte transition entre le grand opéra de la faune Amazonienne et l'écho pas si lointain d'un concert de pelleteuses disharmonieuses.

L'aube, par précaution j'accoste en amont du port de Manaus et poursuis ma route à pied. La végétation est couverte de fines particules poussiéreuses virevoltantes dans le ciel, faisant escale dans les troncs, les feuillages, au sol. Je trouve une route goudronnée et monte à l'arrière d'un pick-up d'ouvriers incrédules qui m'emmène droit en première ligne. Les yeux rivés sur la route qui défile, je découvre un champ de souches destiné aux futures plantations de soja et au loin, des arbres s'effondrant au sol après décapitation. Les ténèbres trinquent à la santé du chaos.

À l'approche de l'exploitation, je sautais de l'arrière du pick-up pour me tenir à l'écart du chantier et me cachais derrière un immense tas de bois en partance pour l'Europe. Cette pyramide atteignait les 8 mètres de hauteur et derrière elle, il y en avait d'autres toutes aussi grandes. Au-dessus de celles-ci s'échappaient d'épais nuages de fumée noire préliminant l'obscurité. La totalité du chantier était délimitée d'une longue clôture et d'un mirador avec en contrebas, un grand baraquement de taule faisant office de quartier général lui-même entouré d'un lieu de camp rudimentaire destiné aux ouvriers. Je photographiais la centaine de travailleurs armés de tronçonneuse qui – comme l'infanterie précédant les blindés – suivaient les camions à grue déjà en route pour décrocher leurs premiers troncs. Le jour se levait à peine et tous partaient à la conquête des richesses de la forêt amazonienne. Certains ouvriers devraient encore à l'école mais l'économie mondiale n'attend plus rien des savants. Il faut produire, il faut dézinguer, tête baissée. Sur le chantier, tout semblait se dérouler comme d'ordinaire lorsqu'à l'orée de la forêt jaillit subitement un fort groupe d'indigènes criards et peinturlurés d'argile rouge. Ils étaient armés de javelots d'arcs et de flèches.

« Os nativos ! » ; « Índios ! », tétanisés par cette vision, les ouvriers donnent l'alerte et prennent la fuite laissant champ libre aux assaillants pour saboter leur matériel. Un signal d'alarme retentit depuis le quartier général et une patrouille de jeep de l'armée brésilienne se dirige à toute vitesse en direction des rebelles désormais à couvert et prêts à combattre. Une première volée de javelots et de flèches blesse grièvement plusieurs soldats tandis que le reste d'entre eux déchargent leurs armes automatiques en direction du peuple des bois. Ces guerriers redoutables occupent parfaitement le terrain en se dissimulant derrière de larges souches de bois et les camions à bennes, profitant de tout répit pour décocher une flèche et se déplacer d'un abri à l'autre. Non sans compter quelques pertes, ils forment un demi-cercle autour du corps de jeeps qui en sous-nombre ne sait plus où faire feu.

Le renfort d'une armada lourdement armée mit fin à la charge infernale des indigènes et les contraint à se replier vers la forêt en se faisant tirer dessus comme du bétail. « Tactactactactactac », les détonations résonnent encore dans ma tête. Les soldats ramassèrent leurs blessés et capturèrent une dizaine d'indigènes n'ayant pu échapper à la contre-attaque. La bataille était perdue, mais le sabotage du matériel offrait un répit de quelques jours à la forêt. M'étant rapproché au plus près du combat pour mes photos, je fus également repéré et arrêté par une seconde patrouille ratissant l'arrière.

Tout mon matériel fut saisi et l'on m'emmena avec les guerriers indigènes dans une cellule à ciel ouvert située juste en dessous du grand mirador. La fin de journée passa, je fus interrogé et remis en cellule où je pus faire connaissance avec un indigène parlant brièvement le portugais. Son nom était Tupyaawo et il appartenait à la tribu des Ipitaléwos (j'écris ces noms comme je les entends). J'appris qu'ils menaient un combat face à l'homme moderne depuis des décennies. Ils n'avaient eu recours aux armes que depuis très récemment lorsque leur territoire se retrouva directement menacé par l'avancée dévorante de la déforestation. Le quatrième soir, un petit commando indigène armé de sarbacanes lança un raid victorieux pour libérer ses prisonniers et je pris la fuite avec eux. Ils se débarrassèrent de nos gardes en une poignée de seconde et en un léger contre temps, Tupyaawo s'infiltra à l'intérieur du baraquement pour récupérer mes affaires. Nous marchèrent dans l'obscurité d'une nuit sans Lune à travers la forêt Amazonienne dont les indigènes connaissaient fort heureusement chaque arpent de terre. Au petit matin, nous poursuivîmes notre route à bord de longues pirogues taillées dans de larges troncs d'arbres. La rivière sur laquelle nous glissions m'était totalement inconnue et il en valait de même pour notre destination. Qu'il était bon de retrouver le flot de la nature si tranquille et pleine de vie. Je m'accordai alors un court repos du corps et de l'esprit pour pleinement percevoir toute cette splendeur qui défilait devant mes yeux.

Nous accostâmes le long d'une petite plage de sable brun. M'étant endormi pendant la traversée je fus réveillé par mes compagnons qui m'invitèrent à les suivre jusqu'à leur village. Celui-ci se trouvait caché quelque part derrière un amas d'arbres millénaires que nous traversâmes en file indienne. En descendant un sentier invisible, je débusquais du regard des sentinelles à la respiration immobile qui – ornées de leur camouflage terre-argile – faisaient partie intégrante de la végétation environnante. Tous les 500 mètres, l'un de mes nouveaux camarades imitait des chants d'oiseaux pour signaler notre présence aux prochains guetteurs.

Après une heure de marche, notre groupe s'arrêta. Tupyaawo se retourna me souhaitant la bienvenue chez lui mais ne percevant aucune habitation alentour, je lui demandai où donc se trouvait son village. Pour seule réponse à ma question, il leva le bras en direction du ciel sans quitter mon regard et me dit « casas na arvores ». J'élevai alors mes yeux vers la cime des arbres et découvris au-dessus de moi un village suspendu. Des bâtisses, des terrasses, des lieux de vies… Encastrés dans l'épaisse écorce des arbres millénaires, tout un réseau relié par des passerelles de bois et de lianes. Un cocon de paix. Le peuple d'en haut me fixait furtivement, la présence de l'homme blanc sur leur territoire n'était assurément pas de bon augure. Cependant, Tupyaawo parvint à les rassurer en quelques palabres et l'on m'accorda une entrevue avec le cacique. Ainsi, nous grimpâmes au village et je pus m'entretenir avec le cacique qui m'offrit la vive hospitalité. Cela car nous défendions la même cause.

Le soir même, nous célébrâmes le retour des guerriers autour d'un grand festin enflammé. Au centre de la grande salle de fête pendaient sur une croix de bois l'armure et le morion d'un conquistador espagnol, sa rapière brisée et sans fourreau enlacée dans le dos. Fabuleuse pièce archéologique, l'armure et le morion étaient couverts de trous et de fentes éparses, signes que son porteur aura souffert de multiples blessures avant de mourir sur l'autel sacrificiel. Le cacique me le présenta comme « o enviado demoníaco » et m'expliqua ensuite en quelques mots – pour ce que j'en compris – que ses ancêtres vivaient autrefois un grand village et qu'ils ramenèrent ce prisonnier après une embuscade de bon stratège. Quelle aura rejetait cette armure, plus qu'un simple trophée de chasse cet épouvantail unijambiste regorgeait de tant de symboles tout autant rubigineux que lui. Mon sang d'homme blanc frétilla un instant, comme si le spectre du conquistador rôdait encore autour de son armure et qu'il avait flairé l'odeur d'un de ses jeunes camarades du vieux continent.

Selon Tupy, nous étions dans le Yanonami à 100 km au sud du Rio Negro. La Guyane Française se trouvait à 700 km à l'est mais en poursuivant vers le sud, la frontière Vénézuélienne n'était qu'à 5 jours de marche. Avec leur accord, je décidai de poursuivre mon reportage au sein de la tribu Ipitaléwos et tenterais de rallier la frontière Vénézuélienne une fois ce travail accompli. Elle n'était pas une tribu totalement primaire car elle entretenait des relations de troc avec certains villages alentour plus développés. Je pouvais donc converser avec certains membres parlant un brin de portugais. Néanmoins chez eux, il n'est pas nécessaire de se dire grand-chose, tout se lit dans l'expression d'un visage, un geste de la main… La tribu comptait une centaine d'hommes, femmes et enfants, à chacun sa tâche et son devoir. Au cours des mois qui suivirent, j'appris à tirer à l'arc, à me déplacer furtivement à travers les bois et à y survivre. Je devenais membre de la tribu et m'installais dans une cabane dont le toit surplombait la voûte forestière. Meilleur point de vue sur son infinité verte. Tupyaawo m'offrait un coutelas fabriqué de ses propres mains, un manche en bois orné de gravures divines, une lame d'obsidienne et un fourreau en peau de proie.

Mettant à profit ma science de l'homme blanc, je participai aux opérations de sabotage sur les chantiers de déforestation que nous n'attaquions plus que de nuit en incendiant les machines et les réserves d'essence. Nous étions furtifs, l'ennemi dormait et une fois réveillé en sursaut, n'osait plus nous poursuivre à travers bois de peur de ne plus jamais en ressortir. Avant chaque raid, nous recevions la bénédiction et le breuvage sacré du chaman de la tribu, rituel ancestral nous mettant en lien total avec l'esprit de la forêt. Les sabotages m'offraient aussi l'occasion de lire les journaux brésiliens pour m'informer de l'état du monde : crises diplomatiques, villes sous les eaux, guerres civiles, guerres pour l'eau, guerre pour les ressources en arctique, finance, éruptions volcaniques, football, cinéma, people, climat... J'apprenais aussi la mort des « Bonny & Clyde Veganos », ce couple en cavale qui ne braquait pas les banques mais attaquait les convois d'animaux envoyés à l'abattoir pour les libérer et les rendre à la nature. La traque avait duré plusieurs années à travers le monde, mais ils finirent par se donner mutuellement la mort d'une balle en plein cœur à l'avant de leur pick-up. Encerclés par les forces de police aucune échappatoire ne leur fut accordée. Avec plusieurs meurtres à leur actif et des milliers de bêtes libérées, on raconta que même à l'agonie, ils s'embrassèrent jusqu'au dernier souffle. Nombreux furent ceux qui prirent la relève.

Un an après mon arrivée dans la tribu Ipitaléwos, le temps était venu pour moi de quitter la vie sauvage et de retourner au pays. Ainsi, pour échapper aux autorités Brésiliennes, je ralliais la frontière Vénézuélienne puis la Guyane Française pour embarquer enfin à bord d'un cargo en partance pour Brest. Mon coutelas et quelques tatouages en souvenir, je quittais mes chers compagnons indigènes avec l'espoir partagé d'un jour nous retrouver.

Arrivé en France, je retrouvai mes proches et publiais mon reportage sur le web. J'avais 33 ans, j'étais fauché et je me reconnectais aux aléas du monde moderne après un an et demi d'absence. Tous ces codes de bonnes conduites à réapprendre, cette vie urbaine en pantoufle, ce bitume partout... Ce fut dur mais j'étais heureux de retrouver quelques têtes quand même. Au-delà de ça, je découvrais un climat *préhistochaotique.* Des millions de réfugiés climatiques tambourinaient aux portes de l'Europe dont les frontières restaient barbelées pour maintenir l'ordre au sein de l'Union et ne pas céder à la discorde générale. En France, j'apprenais que beaucoup avaient déjà migré vers les pays du nord. Nous étions en Mars et les chaleurs atteignaient 28° à 8 h du matin, à la radio et au JT, on annonçait l'arrivée imminente d'une canicule terrible. Les nappes phréatiques rendaient leurs dernières gouttes et au supermarché, la bouteille d'eau coûtait 6 fois son prix. Dans les esprits, la tension montait, il y avait cette électricité dans l'air, ce sentiment commun d'extrême fragilité en pleine période de turbulences. C'est alors qu'à nouveau je flairais cet appel à la vie sauvage qui ne me quittait plus depuis mon départ du Brésil. Ayant emporté avec moi cette primitivité indélébile que l'on n'acquiert qu'au cours d'un long séjour en milieu naturel et hostile, j'en ressentais les pulsions grandir de jour en jour et frémir jusque dans la plante des pieds. L'intuition était claire, il n'y avait plus rien à espérer de ce monde. Il fallait lâcher prise et suivre cet instinct qui me quémandait dès lors un retour aux sources avant que la situation ne bascule vraiment.

Néanmoins, je fus pris de court tout comme le reste des hommes. La vague de chaleur annoncée arriva si vite qu'elle entraîna toute la poussière et vermine de notre monde dans son sillage. Un mois aura suffi. C'était le blitz, elle démembra d'un souffle nos millénaires d'empreintes humaines. S'ensuivirent des mois d'errance au travers de ce qui deviendrait bientôt le cimetière de notre pauvre civilisation gangrénée par la sécheresse et la famine. J'y ai perdu mon père, j'y ai perdu ma mère, mes amis, ma terre… Je ne saurais jamais où ils sont allés, où nos routes ont dévié, où ils se trouvent aujourd'hui, dans ce brouillard si limpide... Quelle était la situation au sein de la tribu Ipitaléwos ? Je n'en saurais jamais rien non plus.

Le bruit courait qu'une base se trouvait plus au nord de l'Europe pour accueillir les réfugiés. Une citadelle fortifiée d'un mur géant capable de nous protéger contre tsunamis et ouragans. Le gouvernement l'aurait construite en secret comme dernier bastion de la race humaine et selon certains, il en existait d'autres aux extrémités nord et sud du globe. La marée humaine dont je faisais partie marchait droit vers cet ultime espoir de survie. Nous étions quelque part dans la campagne aride du Danemark lorsqu'en chemin, nous croisâmes un large campement de réfugiés aux allures de bidonville. J'apprenais que certains avaient trouvé la citadelle mais qu'ils en furent rejetés avant même d'en atteindre les douanes. Selon eux, la cité était au bord de l'implosion et ne pourrait bientôt plus subvenir aux besoins de tous ses habitants. Au sein du bidonville, on parlait toutes les langues, on se battait pour une miette, une goutte, une opinion, une solution meilleure que celle des autres… L'une avait été maire, l'autre PDG, d'autres se disaient survivaliste de la première heure. Foutoir total, chacun se disputant la part d'importance qui lui était due. On programmait même des élections… Et moi, je déambulais tout pantelant ce vaste zoo sans grillages abritant des bêtes uniquement gardées par la peur. Condamnés à croupir au fond des geôles de notre funeste destin, l'heure était au désespoir.

Flairant la catastrophe, je quittais rapidement la charogneuse et fuyante vague humaine pour retourner sur mes pas et trouver des vivres. Pour continuer d'espérer, il fallait la jouer solo. La suite est simple, cap vers le sud, fouillant chaque placard et réfrigérateur de chaque maison et chaque rayon de supermarché se trouvant sur mon passage je préparais mon stock de survie et commençais à creuser mon trou. Je tuais cet homme voulant me piller et m'enterrais dans les entrailles de la terre. Ainsi me voilà, comme un vaurien attendant depuis des mois sa sentence en fond de geôle. J'aurai survécu jusque-là mais je peux dès à présent imaginer que la faim sera mon lent et maladroit bourreau.

7 ou 8e mois

Qu'il est dur d'être un homme en cage. Pas même un geôlier pour venir me nourrir de pain rassis ou me tenir compagnie. Je ferai une belle bête de zoo, l'espèce folle et quasi disparue. Plus beaucoup d'eau, je la mélange avec mon urine. Pire cocktail. Éboulis du tunnel, chaleur étouffante.

Cette extinction, la nôtre… Peut-être n'y sommes-nous pour rien et qu'au final, tout ne fut qu'une affaire d'amorces et combustions empêtrées dans le destin des cycles. Une affaire d'entropie contre laquelle personne – ni homme, ni objet, ni machine – ne pourra jamais lutter.

Il serait temps d'en finir, une telle survie ne mène à rien. Remonter en surface et brûler vif ? Chut ! Ça y est, je parle seul ou du moins, ne m'en rends compte que maintenant. C'est la folie qui s'empare de ma langue et de ma raison.

Peut-être le 10e mois

Après les flammes du soleil, c'est un blizzard de glace qui vient nous porter le coup de grâce. Ici-bas dans ma hutte de fortune, l'air se refroidit de jour en jour et j'entends les pas trottinant de ma mort certaine qui se rapproche, qui m'assiège, qui m'affame.

Hier encore, je suais toutes les gouttes de mon corps. Aujourd'hui, ce sont les vents foudroyants d'une ère glaciaire qui s'étalent et me gèlent les os. Maigre feu de racines souterraines. La terre durcit, congèle… Ce sera bientôt mon tour, tout ce que j'expire devient un petit nuage de fumée. Tremblote, friction, les dents qui claquent. Haricots gelés. J'ai le corps qui lâche.

Peux plus bouger, trop faible pour tenter une sortie. Igloo sans issue. Je givre. Peux plus écrire. Vais claquer.

Sahara

Nouveaux jours : Jour 1

Le grand hiver prit fin. Que dire, si ce n'est invoquer la cohorte du miracle et acclamer le retour du soleil dont les faibles rayons viennent ronger mon corps prisonnier des glaces. Depuis mon subconscient, j'entends mes membres relâcher des « hourras » de renaissance sur le son clinquant des gouttes tombant au sol à l'unisson. Le processus de décongélation durera des jours en commençant par les premières épaisseurs de ma peau avant de s'attaquer à la chair et au sang. À vrai dire, je pensais que c'était ça la mort, un noir néant sans murs ni frontières dans lequel mon esprit vagabond était jusqu'à présent libre d'errer sans azimut. Mais tout cela n'était qu'un long coma centenaire et qui sait, peut-être même millénaire dont je m'éveille aujourd'hui. Mon cœur n'aurait-il donc jamais cessé de (com)battre ? Ne serait-ce qu'à pouls faiblissimes. Foudroyés net par la déferlante de froid, mes yeux sont restés ouverts mais ne pouvaient envoyer aucune information à mon système nerveux. La connexion gelée, je suis resté condamné dans ce grand noir jusqu'au rétablissement de la liaison œil – cerveau qui arriva en phase finale de décongélation. Je resterai ainsi pendant des jours, momie des glaces semi-consciente ressentant à chaque instant la chaleur gagner du terrain sur les champs de bataille *bérézinė* de mon corps.

La vue retrouvée et le corps grelottant, j'observe la fonte de la glace, du givre et des stalagmites. Je baigne dans un bassin d'eau glacée et boueuse qui s'évapore ou s'infiltre en sous-sol. Je ne peux pas encore me déplacer, mais hoche doucement la tête et tente d'activer un à un le reste de mes membres. À chaque petit mouvement son craquement, des glaçons de sang pilé se détachent de leur iceberg pour fondre dans les rivières rouges de mon corps tiédissant.

Le temps aura fait son œuvre, une nouvelle strate de terre recouvre la hutte, obstruant largement le couloir et la sortie du tunnel faisant lien avec la surface. Ce n'est maintenant qu'un étroit défilé qu'il faudra ardemment déblayer sur 8 ou 9 mètres pour enfin retrouver la lumière du jour. Vivement les vitamines. À mouvements limités, j'avale une ration de haricots rouges et filtre mes prochaines réserves d'eau de boue avec le t-shirt de la charogne. Voix HS. Rien à faire, pas le moindre hennissement ne sort de ma bouche.

2 jours de rééducation au fin fond de mes oubliettes. Stimulation des muscles, réflexes, réactivité… La température remonte. Je me sens revivre, réchauffé, le sang qui coule librement des petits orteils jusqu'aux oreilles. Voix toujours HS, j'aimerais crier mais rien ne vibre, il n'y a que des petits glapissements. Demain, il faudra sortir. Partir à l'aventure…

Inventaire :

– Sac à dos (lanière gauche arrachée) ;

– Haricots rouges : 900 G ;

– Eau de boue : 3 L ;

– Fruits secs : 700 G ;

– Plus de chocolat ni de soupe ;
– Gamelle x1, gourdes (1L + 0.5cl x2) ;
– Pierre à feu :
– Coutelas et pelle-bêche ;
– Jumelles ;
– Journal, 2 stylos, pochette étanche ;
– Montre de mon père, bracelet de ma mère ;
– Short troué, t-shirt troué, boots trouées, chaussettes trouées, foulard, lunettes de soleil.

10 à 12 jours de vivres tout au plus.

Jour 3

Adieu petite hutte, aujourd'hui je grimpe en surface. Je rassemble mes affaires, fixe mon barda et – pelle en main – entreprends l'ascension de la galerie souterraine que j'avais creusée lors de la grande sécheresse. Le couloir ne mesure qu'une largeur de hanche à présent, il va falloir creuser comme un mineur inversé, vers la surface... Me frayant un chemin, j'arpente à la verticale la dizaine de mètres de terre qui me séparent de la lumière. C'est trop d'excitation pour le simple mortel que je suis. L'air est envahi de poussière, à bout de force et sans maîtrise de mes mouvements, je chute, m'écrase au sol puis recommence.

Arrivé en haut, c'est la délivrance, je sors des profondeurs les mains tendues vers le ciel comme l'aurait fait un mort-vivant quittant sa tombe. Couvert de terre et aveuglé par la réalité du monde, je sors mes lunettes de soleil du barda et reste un instant effondré face contre terre pour m'adapter à ce nouvel environnement chasseur des ombres. Le souffle du vent me caresse les cheveux et je serre dans mes mains une terre sablonneuse. Que c'est bon ! Les yeux plissés, je me redresse et scrute un horizon spectral, brumeux. Ma vision ne dépasse pas les 10 mètres, au-delà c'est le néant total, la cécité.

Je découvre un désert à la surface craquelée de teinte jaune orangé, survolée d'un épais voile de vapeur blanche à la fois humide et éblouissante. Le soleil est trop fort et pour ne pas me brûler la rétine, j'attends la tombée du jour pour continuer mes observations. Alors, je me blottis au sol les yeux fermés. Non, je ne retournerai pas dans mon trou. Les poumons s'emplissent d'air pur, une grande inspiration me brûle la gorge comme de l'alcool et me fait recracher un premier nuage de poussières terreuses puis deux, puis trois... Tout veut sortir, je tousse, j'éternue, je crache, je vomis, le soleil hargne. La vidange terminée et les cordes vocales désembourbées je beugle comme un nouveau-né à chaque nouvelle bouffée d'oxygène. Quels sons étranges, ce ne sont pas que de simples gémissements cassés qui s'évadent de mes lèvres, ça chauffe en toutes parois, les cordes vocales gesticotent en moi, elles se raccordent, se pétrissent puis s'étirent en de raclant râles et soupirs disloqués. Oui, c'est plutôt ça le chemin de la voix. Celui des nouveau-nés. Pleurant la mort de leur vie passée.

Le soir venu, je m'éveille face à un vaste désert illuminé de multiples tonalités de bleu crépusculaire. Enfin un paysage à contempler, quelle clarté, mon champ de vision s'étend sur des kilomètres. La Lune orne et vagabonde toujours notre ciel au pelage étoilé. Premier débris de l'ancien monde, je distingue le mouvement orbitaire d'un satellite qui semble être toujours opérationnel mais sans nouvelle de la terre depuis un petit moment. Quels continents, quels océans se dessinent depuis son haut perchoir de solitude ? Je repose sur une matière mi-rocailleuse, mi-sablonneuse que quelques bourrasques soulèvent, déplacent et relâchent au sol. Cela pourrait être le composte de nos vieux immeubles. Autour de moi se dévoilent de longues étendues plates, des crevasses ombragées et des chaînes dunaires de grandes et petites tailles. Tout cela à perte de vue comme l'océan dont les marins ne voient jamais le bout. Oui, la terre est toujours ronde car l'inconnu s'évade encore dans ses courbes. Bleu de nuit, jaune orangé de jour, un paysage à la beauté cruelle car sans trace ni quelconque espérance de vie pour l'homme. Si le monde n'est aujourd'hui qu'un gros grain de sable, je l'en recouvrirais des premiers ossements d'ici peu. Je tente un cri. Il s'échappe. Loin.

Nul érudit ne saurait expliquer mon retour à la vie. Quelle étrangeté, j'ai été comme recraché d'un vaste et infini nulle part, tel un déchet rescapé de l'ancien monde que l'on a recyclé et préservé des temps obscurs. Entraîné dans tous ses cycles de vie et de mort, de floraison et de fanaison, mère Nature m'aurait alors « cryogénisé » pour ne pas dire gracié par sa science. J'ai été – refécondé – dans son ventre pendant tout ce temps, aujourd'hui elle m'offre une seconde naissance, un second souffle… Elle est ma chi-mère. Le chi, mon énergie.

Une nouvelle lutte à la survie commence et dans ce pèlerinage le soleil sera mon guide. C'est décidé, je suivrai la trajectoire du couchant pour y trouver source à la vie. J'ai 10 jours devant moi, 10 jours d'errance en sursis vers l'Ouest de ce grand Sahara. Et si je n'y trouve rien, s'en sera finit de moi, s'en sera finit de ma résurrection. Sans chemin affirmé, il faut toujours choisir l'Ouest, c'est la trajectoire du présent, l'horizon de l'avenir, une trace vers l'aval des choses de la vie. Cette nuit, je marcherai au clair de Lune, en filature de ses lueurs bleu clair s'échappant dans le lointain. Pour maintenir un repère temporel fixe, je réglerai ma montre à 05H30 dès lors que je sentirais les prémices du jour s'élever dans mon dos. Alors je marche et je marche toute la nuit, je fais des pauses fréquentes mets à jour mon carnet de bord, vide mes boots pleines de sable et reprends mon chemin. Terrain plat, pente, côte… Mon allure est saccadée, des fourmis plein les jambes mais retenues par mes mollets en manque de rythme. Peu importe la cadence, l'essentiel est d'avancer tout en gardant l'azimut inchangé. Selon mes calculs, je parcours 1,5 km/h (1 pas équivalent à 1mètre).

Optimisme, optimisme, optimisme, optimisme, optimisme. Tu es en vie Tommy, reste-le. C'est ton credo.

Jour 4

Voilà l'aube qui s'étire au loin et s'apprête à plisser ses petits yeux endormis, ils dessinent mon ombre mouvante et éclairent mes pas de leur lumière violette. Tictac tictac, il est à présent 5 h 31 à ma montre. La matinée est encore fraîche je continue ma route et m'échouerai plus tard sur l'aile sombre d'une haute dune.

Ça y est, le soleil est haut, il a la silhouette d'un phare aux structures invisibles lévitant aux avant-postes du monde. Je suis allongé, à l'ombre, le corps enlisé dans la pente sablonneuse. Les jumelles me dévoilent un vaste désert quadrillé par un anneau de dunes vertigineuses que je distingue difficilement en arrière-plan à travers la brume. Elles ont des couleurs crème de café et paraissent comme des frontières impénétrables. En persistant vers l'Ouest, il faudra prévoir 4 à 5 jours de marche pour les atteindre et découvrir ce qui se cache derrière. Je passerai le reste de la journée couché à l'ombre et reprendrai ma route la nuit tombée car la chaleur gronde à nouveau et cela me rappelle un mauvais cauchemar.

Nouvel objectif, les Sierras Ensablées. Optimisme, optimisme, optimisme, optimisme, optimisme. La vie Tommy oui... ! La vida !

Jour 7

3 jours ont passé. Pas de scorpion ni de crotale à croquer. Mais avant-hier, je repérais au loin ce qui – à l'œil nu – s'apparentait à un large nuage de poussière. Pensant d'abord à une tempête de sable, je sortais mes jumelles pour en calculer l'avancé mais me rendait vite à l'évidence qu'il s'agissait d'un troupeau de bisons du désert. Ils sont accompagnés d'une meute de fennecs gambadant sur leurs petites jambes au milieu de la horde. Environ 500 bêtes à la fourrure marron couverte de sable. Je n'avais encore jamais rien vu de semblable, un spectacle magnifique et… Premier contact avec du vivant. Ah si mon père voyait ça, il tressaillirait sec. Lui qui à ma naissance regrettait de m'avoir copulé, se morfondait sur mon sort d'enfant d'une terre mourante et sans saveurs. Pourquoi m'avoir infligé la vie ? Eh bien, pour ça papa, pour ça maman, pour voir ces bêtes splendides, remuant la poussière de ce désert en le foulant en totale liberté, en le faisant gronder sous leurs sabots. Il n'y eut finalement pas que souffrance dans ma vie de crève-la-fin. Merci à tous les deux. Les éclaireurs hennirent pour avertir le reste du troupeau de ma présence. Tous s'immobilisèrent un moment détournant leur regard vers ma silhouette de bipède. L'homme n'étant pas encore inscrit dans leur répertoire de prédateurs dont il faut se méfier, ils reprirent paisiblement leur route vers le Nord. Peut-être aurais-je dû les suivre, leur flair animal les guide sans doute vers de grands pâturages mais j'ai préféré suivre ma propre piste.

Cette nuit, je dors au pied de l'immense mur de sable que j'arpenterais demain à l'aube pour une ascension d'environ 3 h. Que trouverai-je derrière la face cachée de ces montagnes jaunes ? Il est clair que la question rôde lourdement en mon esprit car de sa réponse il en résultera ma survie ou ma mort. Peut-être aurais-je vraiment dû suivre ce troupeau de bisons, chasser un traînard.

Optimisme, optimisme, optimisme, optimisme, optimisme, demain sera magnifique.

Jour 8

L'aube. La pente est raide et je m'enfonce dans le sable comme dans de la poudreuse, les yeux rivés vers le sommet. L'excitation est forte, je ne maîtrise toujours pas mon souffle et fais une pause, le soleil rougeoyant sort d'entre les dunes sur lesquelles les bisons et moi vadrouillions encore hier. La poussière m'assèche le gosier alors j'attache mon foulard à la bouche comme un braqueur de vie. M'enfonçant jusqu'à la taille, je termine mon escalade en rampant à moitié et atteins enfin le pic dunaire.

10 h 34, la minute époustouflante. Sous mes yeux se découvre une immense étendue verte. La nature sauvage… Conquérante incontestée du nouveau monde. Des arbres feuillus à perte de vue entremêlés de cours d'eau se frayant un chemin bleu ici et là à travers l'infinie verdure. Je profite du point de vue surplombant cette jeune Amazonie pour la cartographier sous tous les angles. Quelle merveille, une onde de choc pour la rétine. Au pied de la dune coule un lac dont les eaux paisibles s'engouffrent dans un bras de rivière serpentant les abords de la forêt-jungle.

Les relevés cartographiques effectués, je fixe à nouveau mon barda et dévale la pente en roulades et cabrioles. Adieu désert, tu n'es beau que de loin. Après m'être abreuvé comme un chameau, baigné et débarbouillé dans le lac, je déguste un repas chaud. Oh ces aliments fumés qui me traversent le corps… Fantasme – enfin réalisé – de mes jours passés sous terre. Je suis installé à l'orée des bois, sur une plage zébrée de terre et de sable. Des grappes de baies pourpres au goût acidulé poussent ici et là, c'est un régal.

La nuit tombée, hypnotisé par le mouvement des flammes et le crépitement du bois, je veille au coin du feu et pense au lendemain. Que faire à présent ? Couler des jours paisibles, vagabonder ces bois en attendant la mort en veilleuse ? Non monsieur le nouveau-né, la vie est plus que ça, il est de mon instinct d'homme d'aller explorer l'inconnu et de partir à la recherche de mes semblables. Le cadavre de l'ancien monde gît quelque part en putréfaction sous la cime de cette humanité de conifères et je le découvrirai.

Difficile de dormir avec la frousse du premier soir. J'écoute par envoûtement cette sorcière de rêve me susurrer à l'oreille toutes les abominables choses qui pourraient m'arriver en plein sommeil. Dévoré par un ours ou une meute de loups, croqué par une araignée géante, sacrifié puis rôti à la broche par une bande de cannibales… Ignobles cauchemars qui m'empêchent de faire bouger le moindre orteil. Vivement le lever du jour.

Je bivouaquerai ici le temps de construire une embarcation qui me fera descendre la rivière. L'autre bonne nouvelle est que je n'ai maintenant plus à me soucier de l'approvisionnement en eau. Il me reste 3 petits jours de vivres, je ne pourrai donc bientôt plus compter que sur ce que m'offriront la forêt et la rivière. Les environs regorgent certainement de poissons, d'arbres fruitiers et sans doute même de gibier.

Liste de courses :
– Pirogue ;
– Javelot ;
– Hache ;
– Nourriture.

Rivière

Jour 9

Aujourd'hui, je pars en éclaireur à la recherche d'un gros tronc d'arbre pour y creuser ma pirogue de fortune comme me l'ont appris jadis mes compagnons de la tribu Ipitaléwos. Je reviens d'abord au campement avec deux morceaux de pierre que je taille l'une contre l'autre. La première pour en faire un grossier marteau sans manche puis pour l'autre – fine et tranchante –, une tête de hache que je fixerai au bout d'une branche en « Y » avec un de mes lacets de boots. Faute de m'être procuré de la ficelle pour un arc, je taille un javelot d'environ 1,50 mètre. Il fera bien l'affaire soit pour chasser soit pour me défendre. J'ai repéré un arbre déraciné gisant à fleur d'eau aux abords du lac et le ramène au campement en le faisant glisser sur les flots. Maintenant, je n'ai plus qu'à le sculpter.

Ici, tout paraît à la fois ancien et nouveau-né, comme-ci cette forêt avait poussé et vieilli en un seul jour. Mystérieuse est l'évolution de la vie des choses.

Je passerai les prochains jours à creuser une assise dans le tronc à coup de pelle-bêche de marteau et de braises pour en ramollir la moelle. La coque est encore dure malgré son séjour passé dans l'eau. C'est bon signe, de longévité.

Jour 12

Bras et poignés bien rouillés, 3 journées ont passées et ma pirogue prend bonne forme. 2 mètres de long pour 3 coudées de large avec en son centre, une assise couverte de mousse creusée à 50 cm de profondeur. La proue et la poupe grossièrement affinées et taillées en forme de pointes brise-flots. L'embarcation est lourde, rudimentaire, difficile à manœuvrer. Néanmoins, elle flotte et ne prend pas l'eau. Je n'ai plus qu'à me tailler une pagaie suffisamment fine et autoritaire pour bien tenir le cap.

Mon stock de vivres épuisé, je redeviens carnivore et hier matin, je harponnais au javelot un poisson à la chair blanche. Premier repas sauvage.

Jour 13

La matinée est humide, la lumière est froide et sur le lac aux eaux immobiles vogue un léger voile brumeux. Il est l'heure du départ pour l'inconnu. Branle-bas de combat, j'embarque à bord de mon esquif pour mon « Apocalypse Now » à moi. Capitaine Willard, l'âme perdue en jungle, à la recherche de Kurtz le mystique. Ce dernier symbolisant ici les ruines de la folie des hommes.

Le courant faible m'accompagne à petite allure jusqu'aux portes de la néo jungle. Ça y est, je m'engage dans l'embouchure de la rivière et comme invité par les éléments, me laisse porter par la mécanique du fluide. Au revoir beau lac paisible, au revoir dunes vertigineuses, je ne sais pas ce qui m'attend en aval de cette rivière mais tout y sera découvertes.

En bordures se dresse une nature débridée, déchaînée de vie où tout pousse l'un sur l'autre. Une société végétale aux allures extravagantes, savantes et raffinées. Les racines des arbres aux troncs velus de mousse sortent du sol, s'entrechoquent et se mêlent aux innombrables lianes, bosquets et fougères. C'est comme si 1492 se rejouait rien que pour moi, le territoire du connu chassant celui de l'inconnu comme la lumière démasquant les ombres de leur superbe. À vrai dire, je ne saurais définir les gênes de cette forêt-jungle qui vient de m'ouvrir ses portes. Il y a dans ces arbres un mélange de jungle tropicale, de pinède et de forêt-noire dont les graines semées par je ne sais quel volatile de je ne sais quelle ère semblent provenir des quatre coins du nouveau globe. Elle dégage à la fois, ce panache extraordinaire d'un monde indomptable, mais aussi la vulnérabilité et la sagesse du statique à la merci du premier bûcheron venu.

De temps à autre, la rivière s'élargit et devient fleuve, puis elle s'affine en redevenant rivière, se creuse un couloir sans issus à droite à gauche créant ici et là de multiples clairières aquatiques. L'eau est à la fois verte, bleu et jaune en bordures. Reflets floraux, célestes et solaires. Glissant au-dessus des abysses, j'observe le fond en quête de poissons mais n'y trouve aucune victuaille. Naïvement, j'imaginais trouver des panneaux publicitaires enfouis dans l'eau ou des restes de routes macadamisées… Mais non, j'ai dormi trop longtemps et dans son avalanche, sa traînée de poussière, la milice du temps a comme effacé tout souvenir de l'ancien monde.

Sans chemin pour guide, je pense suivre la direction d'une route invisible que je trace dans mes petits sillons d'eau. Celle-ci me mènera bien un jour à l'encontre de quelque chose. Le temps d'une fraction de seconde sur l'échelle du grand sablier, il y eut des hommes qui construisirent des routes pour relier leurs villes entre elles. Et même si ensevelies, les villes resteront à tout jamais le point de ralliement de la meute Sapiens. Alors, suivre une route invisible, c'est y poser sa trace, y laisser son odeur, y avaler son horizon. Je m'engouffre.

Le soleil entame sa descente vers l'ouest et j'accoste dans une petite crique en renfoncement de la rivière. Fais un feu, prépare mon bivouac, fin du stock de baies pourpres. Demain, chasse aux fruits, bestiaux, volatiles… Le rose du couchant se pose un instant sur les crêtes dunaires encore visibles depuis mon campement.

Jours 14 à 15

Tôt le matin, je déambule la forêt et me remémore les enseignements de mes frères d'armes Ipitaléwos pour ne faire plus qu'un avec les éléments. Il est venu l'heure du redéveloppement des sens. Couvert de terre, dissimulé au cœur des feuillus, je ferme les yeux et deviens statue prédatrice. C'est l'affût. Figé net, poing serré sur mon javelot prêt à percer l'air pour faucher ça cible, l'esprit s'éveille, il perçoit pleinement les mouvements de la forêt. Le temps ralentit, autour de moi le vent fait vibrer les branches et danser les lianes mais rien ne foule le sol. Pas un pas, pas un bruit, mais une odeur… Une odeur de sève et le son étouffé d'un bourdonnement d'insectes qui s'en délectent. Je m'en rapproche et débusque un arbre à l'écorce couverte d'un jus sanguinolent que je me risque à goûter. Épais, baveux, collant, sucré… Une saveur de miel génétiquement caramélisé. Je ramasse un morceau d'écorce incurvée que je tartine de cette délicieuse pâte et la ramène au campement. J'aurais espéré un repas plus consistant mais au moins je ne reviens pas les mains vides. J'avale la mélasse tout entière et prépare une infusion dans ma gamelle en raclant les restes contre l'écorce.

En milieu de matinée, je reprends ma route sur les eaux calmes de la rivière. Une heure passe, puis deux, rien à signaler à part de lointains piaillements et croassements s'évadant de l'enceinte de la forêt dont je pénètre le cœur vivace. Cela pendant deux jours à régime de poêlée de larves à la sève.

En ce beau matin du quinzième jour, faisant ma toilette en bordure de crique, j'aperçois dans le fond un caillou de couleur jaune étoilé et le sort de l'eau. Il ressemble à de l'or, une pépite d'or même. Sacré morceau mais à quoi bon servirait-il sans commerces alentours ? J'aurai bien préféré un poisson ne serait-ce qu'une petite sardine. Par curiosité, je sillonne les bas-fonds de long en large et en trouve d'autres – une vingtaine. Cette crique est truffée d'or ! Le bon filon, si la civilisation reprend un jour ses droits je saurai où venir m'installer. En attendant, je garde une pépite en talisman souvenir, rends à la rivière ce qui est à la rivière, avale quelques larves crues et reprends ma route.

Jour 16

Matinée calme jusqu'au vingtième coude de rivière, il vire à 90° et m'obstrue totalement l'horizon. Une fois passé, il est déjà trop tard. Comme s'il m'avait tendu une embuscade, le courant accélère d'un coup sec et m'emporte tout droit vers de puissants rapides que je ne saurai éviter. Je suis piégé, impossible de rejoindre la rive, les flots sont débridés et m'emportent avec eux. C'est un champ de mines, il faut naviguer en zigzag à travers d'imposants morceaux de roches surplombant le dessus du torrent et se faisant sans arrêt recouvrir par l'éclat d'une vague coléreuse. Dans ce tumulte, tout va trop vite et j'ai l'impression de me retrouver dans l'eau bouillonnante d'une grande marmite en pleine ébullition. Sur la rive droite, une bande de macaques jacassent à ma mésaventure. Maudits soient-ils, en plus ils me donnent faim. Un moment d'égarement et me voilà totalement pris de vitesse par la horde des flots. À 200 m, j'aperçois le sommet d'une cascade. Entraîné droit dans la gueule du loup, je tente le tout pour le tout et d'un coup de pelle, bifurque sèchement vers la rive droite de la rivière. Mauvaise manœuvre, une vague fait chavirer la pirogue et l'emporte avec elle pour sombrer dans le néant des chutes. Je parviens tout de même à rallier le rivage in extremis en me laissant porter par le courant, me rapprochant de la terre ferme en me plaquant de roche en roche. Épuisé par l'effort, je reprends mon souffle entre chaque roc avant d'enfin attraper une racine et me hisser au sol face contre terre et hors de danger. Mon barda est sauf, les chutes n'étaient plus qu'à une vingtaine de mètres de mon point de sauvetage. Foulure au poignet droit, écorchures aux doigts, mâchoire amochée. Quel vacarme, cette eau qui s'emballe, si pressée de s'offrir au vide.

Je me redresse et approche le bout de la falaise. Les chutes plongent dans un lagon ovale couvert d'écume dérivant sur le lit de la rivière qui elle, continue son interminable percée à travers la jungle. Il y a ma pirogue échouée sur une petite crique. Avec mes jumelles, je scrute l'horizon dans tous ses recoins. Quel immense parc naturel, vallées, plateaux, crêtes, monts et montagnes… Tous recouverts de phalanges végétales dissimulant l'action des sols. Plus au lointain, une large tache sombre se détache de l'immensité verte. Trace éventuelle de nos ruines à étudier de plus près.

Les parois de la falaise où de nombreuses autres chutes convergent sont bien trop raides et forment un arc de cercle s'étalant sur des kilomètres. Aucun dénivelé en vue, pour arriver en bas il faudra sauter. Le reflux des chutes se calme rapidement après l'impact, il s'agit à présent de se lancer dans le vide, ne pas s'écraser sur de la roche et ne pas atterrir non plus au milieu d'un banc de piranhas famélique. Après réflexion, je me décide à remonter la rivière d'une centaine de pas, d'y plonger, en atteindre le centre et – arrivé au point de chute – m'élancer le plus loin possible dans l'air pour atterrir au point le plus central du lagon. J'ai le cœur qui cavale. Cher carnet, ce sont peut-être mes derniers mots pour toi alors merci, merci d'avoir été là fidèle compagnon.

En chute libre, le temps se dilate comme dans un trou noir. Pendant 3 secondes qui m'en ont paru 30, j'ai senti mon cœur et le reste de mes organes s'élever en moi comme s'ils avaient été surpris par l'absorption extrême des lois de l'attraction. Enseveli dans les eaux troubles, je remontais des profondeurs en suivant le chemin des bulles et ralliais la rive. Les tympans sifflants et le nez en robinet, je retrouvais ma pirogue à bon port. Elle et la pagaie, échouées sur la grève comme deux inséparables.

Vu d'en bas, la cataracte culmine à une quarantaine de mètres au-dessus du lagon. Elle nous domine, moi et les environs. Mes affaires sèchent au coin du feu, j'arpente nu les environs forestiers, reviens au campement avec un javelot tout neuf, retourne à l'eau et passe de l'autre côté de la cascade. Une crypte en cul-de-sac est creusée dans la roche, je l'inspecte, m'y installe et me laisse hypnotiser par l'envers des chutes. Ce mouvement d'eau si lisse, cette perfection du corps et de la matière, c'est d'une pureté. Je passerai le reste de l'après-midi dans les bas-fonds du lagon à harponner des poissons trop étourdis par les chutes. Résultats des courses sur une centaine de lancers, deux poissons-chats à queue verte. Sorte de pirararas de la forêt amazonienne que je vide et dévore immédiatement la chair à peine grillée. Caramba ! Enfin un repas !

Quand vient la nuit, le ciel est dégagé, criblé d'étoiles, elles scintillent, dessinent un banc phosphorescent de lucioles marines dans les reflets du lagon. Cet autre monde est comme un nourrisson que les aventures de la vie n'ont pas encore abîmé, il est sublime. Le feu brille de flammes rouges au milieu des ténèbres et je songe à mon ancienne vie sans savoir ce qu'il adviendra de ma nouvelle. Sous d'anciennes croyances, c'est au travers des flammes que les dieux parlaient aux hommes, ce soir il n'en est rien, il n'y a que moi et mes questionnements sans retour. Peut-être y aurait-il un message caché dans le tango des flammes mais seul un grand prêtre de l'époque pourrait connaître l'alphabet de ce morse du mouvement.

Au réveil, je débusque une colonie de crabes en plein exode de l'eau vers la terre. Ils sont rapides mais j'en attrape trois gros pour en faire une soupe puis quitte le lagon à bord de mon épave.

Biome

Jours 17 à 23

Depuis les chutes, la vie sauvage semble s'éparpiller un peu partout à travers la forêt vierge, comme si j'avais franchi la frontière d'une jeune biosphère en pleine éclosion. Ce matin par exemple, j'observais aux jumelles un banc de dauphins rose écumant les fonds marins. En mettant la tête sous l'eau, j'entendais leur conversation en ultrason, peut-être parlaient-ils de moi, l'intrus de la rivière. Les jours passent et j'avance vers ma nouvelle destination, cette petite tâche lugubre déchirant l'horizon vert que je contemplais du haut de la cascade. Je me nourris essentiellement des fruits juteux de la forêt et des poissons de la rivière. Hier, pacte de sang-sève entre ma paume et l'écorce toute ridée d'un vieil arbre. Nous sommes frères à présent. Harponnage d'un gros rongeur que j'ai cuit à la broche. Festin. Remords du tueur.

En observant bien, je me rends à l'évidence que tout le vivant d'ici est apparenté aux espèces de l'ancien monde, la différence se jouant uniquement à la couleur ou à la taille du spécimen – faune et flore confondues. La nature poursuit donc son évolution, elle a le plumage d'un monde phœnix renaissant de ses braises solaires. Et à l'image de ma crasse, de mes cheveux et de ma barbe qui poussent et me camouflent, je me fonds poils à poils dans l'atmosphère régnante. Je deviens l'homme bête, le garou. Mon odeur change, les autres vivants ne me fuient plus, ils me craignent seulement mais m'acceptent comme faisant partie de la chaîne vivante de ce jeune biome. J'écris ces conclusions naturalistes jonché sur un îlot microscopique d'entre les deux rives, la pirogue accrochée à une branche gesticule au gré des flots, un piranha aux écailles brillantes termine sa cuisson au-dessus des braises, il me fixe encore de ses yeux rouges qui fondront en gélatine au prochain tour de broche. Je prends cela pour une petite vengeance sur une mésaventure ayant eu lieu un peu plus tôt dans la journée lorsque je croisais la route d'un groupe de canards à crête iroquoise. Je saisissais alors mon javelot pour en harponner un mais avant même de me trouver à bonne distance de tir, l'un d'eux fut attaqué par un banc de piranhas qui lui dévorèrent le ventre en une poignée de seconde avant de le happer dans les abysses. Les autres eurent pleinement le temps de s'échapper. Voilà pourquoi je ne m'aventure pas trop loin dans la rivière, je pourrai me faire ronger de la peau jusqu'au squelette par ce genre d'énergumène aquatique ou pire encore, me faire piquer par une raie.

Rivière, crique, exploration, chasse, manguier, feuille de menthe chewing-gum, nuit blanche.

Jour 24

Ce matin, alors que je somnole bercé par les vapeurs de cendre et que mon feu rend ces dernières braises, je suis réveillé en sursaut par des hurlements provenant de la rive opposée. Je chope instantanément mes armes, prêt à combattre mais autour de moi, rien ne bouge à part le glissant de la rivière. Le silence trône à nouveau sur les terres, une aurore fantomatique s'installe doucement dans l'épaisse brume matinale éclairée par des lueurs jaunâtres. Je ne vois rien, pas un arbre, pas une ombre. Nulle forme ne se dessine dans cet épais nuage mais à nouveau, les grognements en écho d'un prédateur en approche. Survient subitement un rugissement terrible, suivi d'un brouhaha de frottements dans les feuillages. S'ensuit le retentissement sec d'un gémissement venant s'éteindre dans l'horizon vaporeux et libérant ici un nébuleux silence de mort. Le vent se lève et – soufflant dans le sens du courant – chasse le rideau brumeux me brouillant la vue jusque-là. Observant le nouveau paysage qui se découvre sous mes yeux, je croise le regard vif d'un fauve à poil noir. Affamé et grognard, il se tient sur la roche de l'autre rive prêt à bondir. La dépouille d'un gros piaf gît à ses pattes. De loin, je l'imagine se serrant les crocs encore maculés de sang.

Immobiles, on se jauge l'un l'autre. 25 mètres d'eau nous séparent. Un ultime cri de guerre et le voilà qui plonge à l'eau dans toute sa rage. Un instant, je me demande si un bon lancé de javelot dès son débarquement sur la plage ne ferait pas l'affaire mais en l'évitant, l'animal pourrait également me sauter à la gorge, d'un bond fougueux. Après tout, je ne connais rien de ce félin, il pourrait réellement me terrasser d'un saut et m'arracher la peau en une fraction de seconde. Je rassemble alors fissa mes affaires et saute dans ma pirogue mais mon adversaire bifurque et continue la poursuite. Parcourant une centaine de mètres à la nage, il finit par fatiguer et raccroche la rive occidentale de la rivière pour éviter la noyade. Le voyant abandonner la poursuite, je ralentis mon allure et prends le temps de l'observer à courte distance. 5 mètres seulement nous séparent cette fois-ci, il reprend son souffle, fixe son deuxième petit-déjeuner lui échappant des griffes. C'est une panthère. Jeune adulte, un mètre trente sur pattes, le pelage hérissé d'un noir brutal. Des oreilles de lynx, la queue noire, deux longues canines ornent sa large mâchoire, et comme des larmes, deux taches blanches sanguinolent sous son œil droit. Ce tas de muscles m'aurait bel et bien écorché vif si je n'avais pas pris la fuite. Feu prédateur, me voilà devenu simple proie fuyante.

J'accoste en fin d'après-midi sur une petite crique de galets parsemée de grosse roche à la surface polie par les flots. Mange une mangue et m'enveloppe dans un buisson avec mon javelot et ma hache dans chaque main. Impossible de fermer l'œil, la panthère hante et fougue librement mes pensées. Cet animal serait capable de retrouver ma trace rien qu'à l'odeur et me dévorer en plein rêve. Il est l'heure de la sortie des animaux nocturnes, leurs gloussements attireront toute l'attention du prédateur. Achevé par la fatigue, mes paupières s'écrasent et mon esprit s'évade vers des contrées d'ailleurs.

Allongé sur le dos dans un matelas de feuillages, j'ouvre les yeux vers le ciel voilé de sombres nuages. Je détourne le regard dans la cime des arbres encerclant ma couche. Elle est là, la panthère, immobile, plus noire que n'est la nuit, le corps à la verticale, ses griffes plantées dans l'écorce du tronc de l'arbre sur lequel ma tête repose. Prête à lâcher prise et affronter la gravité la gueule béante pour atterrir sur mon thorax en le broyant sous son poids. Perçoit-elle mon blanc regard qui vient tout juste percer la dense obscurité ? Le sien est jaune enragé. Un grognement fugace vient clôturer mes espoirs de furtivité. La voilà qui – tel un assassin proche de sa cible – s'élance de tout son long sur moi et que d'un geste, je tends mon javelot droit vers elle pour l'empaler sec en plein vol. Pas de vainqueurs dans ce duel car avant même que nos corps s'entrechoquent je me réveille à nouveau en sursaut et en sueur dans mon buisson. Sur la crique de galets, rien n'a bougé, c'est le calme plat.

Jour 25

Rien à me mettre sous la dent, je pénètre dans la forêt le corps couvert d'une sorte d'argile boueuse pour camoufler mon apparence et masquer le peu d'odeur humaine qu'il me reste. Me dissimule dans un buisson de fougères, assis, la tête droite, ferme les yeux et rejoins le rang des éléments. En ces lieux à l'horizon haché par la végétation, l'odorat et l'ouïe deviennent de véritables sonars suppléant sans aucun mal à la vue dont les atouts perdent pour un temps toute leur efficience. J'entends les pas groupés d'une famille de rongeurs qui ne s'approchent pas suffisamment de ma zone de chasse. L'instant suivant, ce sont des pas lents et lourds qui se dirigent tout droit vers ma position, je reconnais la respiration ferme d'une créature entrant dans mon champ de vision. J'ouvre lentement les yeux et reconnais la panthère, à 10 mètres, marchant furtivement en direction de la rivière. Je ne suis pas repéré. Va-t-elle simplement s'abreuver ou est-elle guidée par l'odeur de mon barda resté au campement ?

Moi qui pensais l'avoir semé, me voilà traqué de prés. J'attends qu'elle s'éloigne, me débusque et me faufile vers le campement à travers les arbres. La crique en vue j'accélère et fixant le sol, perçois le dessin d'une ombre épaisse s'abattre sur moi. Comme dans mon rêve, la panthère plonge du ciel et me tombe dessus. J'évite la collision d'une roulade grossière, n'ai pas le temps de me relever que je reçois un coup de griffes au niveau des côtes m'envoyant face contre terre à la merci de mon assaillant. Me retournant illico, j'envoie d'instinct un coup de hache à l'aveuglette fauchant la mâchoire de la bête croulant déjà dans mon dos. Je profite d'un très court répit pour récupérer mon javelot et tenir la panthère à distance de pointe. J'avance vers la rive à reculons, la panthère me suit de près frôlant le sol et me fixant d'un regard de foudre. Foulant la plage de galets, je lui lance un coup de javelot qu'elle balaye d'un coup de patte puis, s'appuyant sur ses pattes arrière, s'élève à ma hauteur et m'effleure le visage d'une gifle écrasante. Lui empoignant le cou, elle me mord l'avant-bras, je hurle et lui plante mes ongles encore plus profondément dans la gorge. Pour nous séparer, je me laisse tomber sur le dos, l'entraîne dans ma chute et d'un coup de jambe, la rejette loin en arrière. Nous nous relevons en même temps à demi courbés, elle est hystérique et me fonce dessus. Aveuglé de sang j'empoigne au hasard un galet pour lui fracasser la moelle. Nous visant l'un l'autre en plein élan, nous armons chacun notre bras et patte que nous relâchons simultanément dans l'air. Ses griffes m'éraflent le thorax d'est en ouest tandis qu'à l'opposé, mon roc lui percute lourdement le côté du crâne. Chacun s'effondre de son côté.

Groggys, nos corps cloués au sol et des étoiles plein la tête, nous reprenons nos esprits et nous fixons en chien de faïence. Nous échangeant une certaine forme de respect mutuel propre à deux ennemis ressortant ni perdants ni vainqueurs de la bataille. Le coup de grâce n'aura pas lieu car il perdrait tout son sens à ce stade du combat. L'heure est plutôt à la trêve. La panthère se lèche la patte puis se redressant péniblement, me tourne le dos et quitte la plage de galets d'une morne démarche. Je la regarde s'éloigner laissant traîner derrière elle des empreintes ensanglantées. Un dernier coup d'œil dans ma direction et la voici qui d'un bond, s'évapore à travers les sous-bois.

Direction l'infirmerie, rampant à bout de force, je traîne ma carcasse jusque dans la rivière pour y laver mes plaies –

dessinant moi aussi un long trait rouge sur mon passage. Je suis touché au niveau des côtes, au thorax, à la joue, l'avant-bras et à la tempe. Rien de cassé, ce ne sont « que » de grosses éraflures à même la chair. Même la morsure n'est pas si profonde que la douleur me laissait le présager. Pour stopper l'afflux de sang, j'appose sur mes blessures la boue argileuse du fond de la rivière et m'allonge au soleil pour faire sécher la rustine minérale.

Réveillé par la douleur et la faim, je retourne boiteux à la rivière, prenant soin de ne pas mouiller mes pansements croûteux et érige un petit barrage de galets dans l'espoir d'y dégoter quelque chose d'ici la fin de journée. À chaque mouvement, les plaies s'étirent puis se referment, c'est une torture. Le soir venu, je savoure quatre poissons de taille moyenne auprès du feu. Je passerai les trois prochains jours ici, sur le qui-vive, à soigner mes plaies sans trop bouger si possible.

Toujours là, toujours vivant, et non je ne te quitte pas encore cher journal. Même si cette fois-ci la fin fût très proche. On ne mange pas la chair de l'homme avant de l'avoir tué, la panthère s'en souviendra.

Jours 28 et 29

Bain de rivière pour retirer les pansements. Mes plaies n'ont pas encore cicatrisé mais le sang ne coule plus, une infime couche de peau rose colmate les brèches. Je vais pouvoir reprendre le large. Une mangue pour le petit-déjeuner et j'embarque dans ma pirogue pour la journée. Pour ne pas rouvrir mes plaies en pleine régénération je me laisse aller au gré du courant languissant sans pagayer. Je ne m'en rends compte que maintenant, il me manque un morceau d'oreille droite, juste sur la partie arrière. La panthère l'aurait arraché d'un coup de griffe lors du combat, taillée sec à même la chair. Au touché, elle ressemble à une demi-oreille d'elfe. Ça ne saigne pas, elle est déjà cicatrisée.

La végétation est partout, c'est comme si je parcourais les douves d'une large forteresse exclusivement faites de bois et de feuilles, dissimulant derrière elle une population tout entière, mille fortins et oubliettes. Je ne trouve pas de berge pour accoster et continue ma longue dérive dans le calme de la nuit. Qu'il est étrange d'emprunter le chemin de l'obscurité. J'avance sans phares ni repères dans le noir complet et me sens comme happé par ce grand rien opaque que miroite les flots onduleux de la rivière. Un appel vers le mystère des profondeurs où se perd tout le sens des routes.

Au petit jour, guetté par la faim, je halte contre une petite baie sablonneuse, inspecte mes plaies, les décrasses dans la rivière puis m'aventure dans la forêt en quête de nourriture. Repère une colonie de fourmis, il y en a des centaines et j'en mange quelques-unes bien croquantes. Elles me mènent vers un arbre porteur de grosses pastèques orange et verte. Les fourmis se servent des fruits s'étant fracassés au sol en mille morceaux tandis ce que je grimpe à l'arbre et y cueille 4 pastèques bien mûres d'environ 1 kilo chacune. Maigre dose qui soulage à peine ma fringale. Quelques fourmis en rab.

Alors que je me prépare à repartir en forêt, je trouve cette dernière anormalement silencieuse car soudainement, tout s'est tu. Aux aguets, je me retourne en direction des bois, je ne suis pas la cause de ce silence inopiné, non, il y a autre chose. À l'orée des bois, les hautes fougères gesticulent, quelque chose passe à leur pied. Sentant le danger s'approcher, je récupère ma hache que je suis maintenant prêt à envoyer balader dans les fourrées mouvants. D'un saut, voici l'inconnu qui surgit des fougères et me dévoile ses formes. Je reconnais immédiatement la panthère aux larmes blanches qui s'affaisse dans le sable l'air paisible à une dizaine de mètres de ma position. Elle tient dans sa bouche un large morceau de gibier et s'approchant de quelques pas, le relâche au sol avant de disparaître à nouveau dans les bois. Stupéfait, je reste perplexe un instant puis – la faim ayant raison de ma raison – ramasse le morceau de viande et démarre un feu. C'est une cuisse qui aurait pu appartenir à un sanglier bien dodu. Le temps de faire cuire le tout à la broche, je récupère la peau rugueuse de l'animal et l'accroche à mon javelot pour en faire un manche. J'avale mon repas de chair à la fois tendre et braisée puis m'installe dans l'ombre d'un rocher pour une sieste digestive. Qu'est donc passé par la tête de la fauve ? Elle qui lors de notre dernière rencontre me sautait dessus pour me déchiqueter la gorge. Mais après avoir l'un l'autre vidé notre venin de colère par le sang, j'accepte ce présent comme un pacte de paix entre nos deux espèces.

Je reprends la descente de la rivière en début d'après-midi. La forêt ne change pas mais je note tout de même à l'horizon le dessin de collines rocheuses que je n'avais pas eu l'occasion d'observer jusque-là. Prémices des gorges à grottes creuses que je traverserai en fin de journée et dans lesquelles je passerai la nuit. Ici – outre le gigantisme des falaises et l'apparence bleue opaque de l'eau –, la végétation parvient tant bien que mal à se frayer chemin à travers les multiples couches rocailleuses sur lesquelles je traîne ma pirogue et installe mon bivouac. Demain, j'escaladerai l'une des falaises pour cartographier les alentours. Un coup d'œil sur mes cicatrices que je lave à nouveau dans la rivière tout en construisant un barrage à poisson pour le repas du soir. Ramasse quelques morceaux de bois flotté pour alimenter un petit feu à la nuit tombée. De retour au barrage, j'attrape trois poissons à la peau rose et harponne un gros brochet qui passait par là probablement attiré par mes proies. Il est difficile d'ôter la vie, même celle d'un poisson, mais je console ma culpabilité en me référant à la loi de la nature qui demeurera sélective et inviolable à jamais. Et puis cette fois-ci, l'espèce en voie d'extinction c'est bel et bien moi. Si je me retrouve dans cet état aujourd'hui, si au final la cohabitation homme-terre fut un échec, c'est qu'il y a chez nous un défaut de fabrication, une erreur que La Création a implantée dans nos gênes. Il a été créé quelque chose en trop dans notre être, une défaillance qui défaillit, une défaillance à réparer chez la prochaine humanité. Autrement, son destin n'en sera que trop vite scellé.

Le soleil passé derrière les falaises, j'allume un feu et fais cuire mes brochettes de poissons roses pour l'apéritif. J'aurais bien aussi coincé une bière bien fraîche et une cigarette dans mes filets mais je me résigne à enterrer ces petits plaisirs d'antan sous la terre ravagée de mes souvenirs. Et qui plus est, le calme de la nuit déposant sa peau de caméléon noir sur les rocheuses me relaxe déjà si bien l'esprit.

Dès lors que je mets le brochet à fumer à même les braises, apparaît dans mon dos la panthère alarmée qui s'installe calmement à quelques mètres du feu. Par réflexe, je vérifie que mon coutelas est toujours bien accroché à ma ceinture, mais sa mine paisible et amicale confirme mes pensées de la veille. Je découpe le brochet en deux et lui envoie un morceau qu'elle gobe sans en laisser une arête. Ainsi fut définitivement signé le pacte de paix entre nos deux espèces. Nous partagerons ensemble la chaleur des flammes pour la nuit et ne dormirons tous deux que d'un seul œil.

Jour 30 : 1 mois

Au petit matin, je découvre la panthère sous un tout autre visage. Tout le paradoxe du félin est là sous mes yeux, allongée au sol la tête rêveuse reposant sur ses pattes tel un gros chat d'appartement. Sa posture si apaisée la rend à la fois attendrissante et inoffensive, elle est comme une grosse peluche « made in the jungle » que personne n'oserait toucher de peur d'en perdre l'ongle ou la main. Ouvrant un premier œil dans ma direction, elle se redresse tout en bâillant puis s'étire à la manière de tous les félins avant de retourner en forêt comme si des affaires urgentes l'y attendaient.

De mon côté, j'entame l'ascension de la falaise que j'escalade de roche en roche. Le pic doit s'élever à une cinquantaine de mètres au-dessus du sol, la pente est raide mais un chemin se dessine dans ses petits creux et reliefs. Les doigts bien rouillés, je fais halte à mi-chemin dans une cavité exiguë, profite du paysage, repars et arrive enfin au sommet après deux bonnes heures de grimpette. Dégaine mes jumelles et profite d'une vue à 360° pour analyser les trajectoires passées et futures de mon périple. J'aperçois au lointain les crêtes très abstraites de la cordillère de dunes qui fut la toute première étape de mon voyage puis plus proche, les cascades de la semaine précédente marquant mon entrée définitive au cœur de la jungle. Depuis le pied des dunes, la rivière trace l'interminable trait d'un corps de serpent qui passe sous mes pieds à travers les gorges dans lesquelles je me trouve. Elle poursuit sa route en zigzaguant de gauche à droite vers le couchant et à travers l'infinie verdure vallonnée de collines rocheuses. Cette immensité à l'est me donne déjà l'impression d'avoir traversé les routes d'un petit pays mais ce qui se dresse à l'ouest dépasse de loin l'au-delà de mon regard. Le bras principal de la rivière me mène droit vers la marque vert kaki que j'avais précédemment observée du haut des cascades. S'il me faut découvrir quelques intrus parmi les éléments de cette nature vierge, ils se cachent dans ces clairières de ténèbres. J'en ai la certitude. Rien d'autre à signaler sur ce haut plateau ou ceux d'en face, il n'y a qu'âme de roche qui vive. Me préparant à la descente, j'aperçois la panthère qui m'attend en contre-bas avec du gibier prêt à cuire. Atterrissant sur la terre ferme, je suis accueilli par un grognement que je ne saurais trop traduire mise à part une formule d'amicale politesse.

Jour 32

Après deux jours de repos et de pêche, je quitte les gorges pour retrouver la jungle que je sillonnerai pendant une dizaine de jours au côté de la panthère. Comme un vieux couple, nous nous quittons le matin pour le travail puis nous nous retrouvons le soir et partageons nos trouvailles de la journée – poisson, gibier, fruits. Nous dormons chacun au coin du feu sous un tapis d'étoiles et l'éclat des braises ardentes. Son cri de ralliement n'a rien de plus rauque et sauvage tandis ce que le mien me paraît encore trop humain, s'étouffe trop vite. Il faudrait qu'elle puisse m'entendre à des kilomètres sous n'importe quelles circonstances, alors je m'exerce à rugir et parfois, j'ai le droit à une réponse. Je me demande souvent si elle aussi, ne serait pas abandonnée au sort de paria solitaire qu'est le mien. À des moments de la journée, je la retrouve m'attendant sur un rocher en amont de la rivière, comme pour m'assurer que la voie est libre ou peut-être aussi pour vérifier que suis toujours bien en vie.

Un matin, je me décide à lui trouver un prénom, ce sera Lula. Nous voyageons aux horaires du soleil présent une douzaine d'heures par jour, l'air est humide le matin et lourd en deuxième partie de journée. Mes cicatrices sont sur le point de se refermer mais je ressens toujours des petits déchirements de croûte au niveau du thorax lorsque le courant s'intensifie en de légers rapides. Lorsque j'étale de l'argile boueuse sur ces mêmes plaies et que Lula m'observe, je lui dis : « oui, oui je sais ma pauvre vieille, c'est bien ton œuvre [...] je n'ai pas l'air d'un trappeur intrépide là ? » Ce duel, c'était comme le baptême de ma nouvelle vie d'ermite au devenir primitif. Je parle souvent à Lula, pour qu'elle apprenne à me connaître, pour tisser un lien réel avec elle. En nous observant l'un l'autre, nous élaborons progressivement le lexique d'un langage inter-espèces. Lui-même fondé sur la base de terrains d'expressions communs tels que des grognements, des gestes, un regard ou une simple humeur du visage.

Jour 40

La rivière s'affine de jour en jour, elle perd du terrain sur la végétation qui émerge d'un peu partout depuis le tréfonds des flots, cela rendant la navigation impraticable. Trop d'obstacles, je mets le pied à l'eau et tire ma pirogue à travers le champ d'arbres mi-morts mi-vivants jonchant le lit de la rivière devenue ruisseau. L'atmosphère s'humidifie, les végétaux changent de textures. Il me semble avoir atteint le bout de la queue de serpent et entrer dans le territoire du lugubre. Ce soir, dernier bivouac sur une plage boueuse en compagnie de ma pirogue que je dissimulerai demain en lieu sûr avant d'affronter la mangrove à pied. La nuit tombe et Lula n'est pas encore revenue de la chasse.

Tombeau

Jours 41 à 50

Enfer, 10 jours de maraude dans les entrailles poisseuses d'un vaste marécage. C'est le bayou. En surface, l'eau est immobile, mes enjambées sont la germe des seules ondulations s'en allant mourir dans la pénombre. De l'eau jusqu'aux genoux, j'avance sur une grande plaine forestière inondée d'un lac tout noir. Seuls des cyprès chauves baignent leurs racines dans les bas-fonds du marais avec à leurs pieds des talus de roseaux visqueux, nénuphars et carex. Air moite, rempli de moucherons. Putréfaction, pourriture, lumière blafarde, étoiles timides. Passe les nuits dans un silence mortuaire sur des petits atolls de mousse humide. Transporte un fagot de bois qui sèche toute la journée sur mes épaules pour le feu du soir qui s'en va rapidement mourir dans le lugubre. Les marais sont immenses, je m'y enfonce jusqu'au cou, reste coincé dans une vase mouvante, ressort sur un chemin vaseux. Une araignée pond ses œufs dans mon mollet. Je crève le furoncle le lendemain à coup de couteau relâchant une colonie entière de bébés prématurés pataugeant dans un mélange de sang et de pus. Pluie, fièvre, pustules, faim, moustiques, sangsues, chauve-souris... Couleuvres grillées, écrevisses, œufs de reptiles crus. Répugnant. Hostile. Je ne suis plus qu'un fagot d'os, combien donnerai-je pour sachet de pâtes échalote et sauce tomate ? Peut-être un doigt. Aucune trace de Lula qui me manque. Cri de ralliement. Pas de réponse. Pourtant j'ai la voix qui porte cette fois-ci. J'avance dans ce brouillard hanté. Perdition.

C'était donc ça. Cette tâche sombre. Celle qui m'attirait tant depuis la jungle et dans laquelle je patauge depuis des jours. Il y a quelques heures, j'en atteignais la source, l'embryon… Cela en l'épave pourrissante d'un appareil spatial, peut-être une navette ou même une station. Elle est apparue là, hors de la brouillasse, une masse épaisse à demi noyée dans les eaux du marais, cramoisie, percée de toute part par de larges troncs d'arbres eux-mêmes fendus lors du crash du vaisseau. Il y a des débris partout au sol et dans les arbres, le choc dut être terrible. J'approchai du plus gros morceau, un cylindre en forme d'arc de cercle déchiré au niveau de l'aile droite. Je pénètre à travers l'une des nombreuses brèches et m'aventure à l'intérieur de la station envahie par les flots. Les parois sont putrides, fissurées, trouées, couvertes de mousse… Je fouille mais ne trouve rien, des stries de lumières passent à travers les fentes, toutes sortes d'objets en décomposition flottent en surface, il y a des boutons partout, des sas entrouverts tous les dix mètres, une loupiotte agonise en de multiples spasmes lumineux. Trop peu d'indices, je pénètre dans des salles qui auraient pu être autrefois laboratoire, bibliothèque, chambre, cuisine...

Quel désastre, c'est irrécupérable, le crash remonte à des heures bien anciennes. Arrivé vers la partie la plus centrale du vaisseau, je découvre une rangée de 6 lits de sommeil artificiel gisant à fleur d'eau. À l'intérieur, des squelettes en très mauvais état de conservation et dont les parties du corps ont été sectionnées par la violence de l'atterrissage. En m'approchant de plus près, je croise le regard de ce qui reste d'un crâne humain, seule une vitre fissurée couverte d'une fine couche d'eau nous sépare. Dans ma tête, je le questionne « Qui es-tu astronaute, d'où viens-tu, où allais-tu... ? » Mais il demeure le regard inerte il n'y a bien évidemment rien à en tirer. Ces sarcophages me filent la chair de poule et je quitte la salle pour continuer mon exploration dans l'aile gauche du vaisseau. Je n'y découvrirai rien hormis un arbre bientôt adulte épanouissant ses branches là où il le peut. Certaines passent à travers les innombrables trous de la coque du vaisseau, d'autres poussent en se collant au plafond voûté, s'échappent de quelques mètres contre les parois du couloir, au hasard vers une nouvelle porte de sortie ou peut-être d'une amie avec qui se tisser. Ce tout, c'est tentaculaire.

Ces astronautes exploraient sans doute l'espace en quête d'un nouveau monde, ils ont dû voir le nôtre croupir depuis leur haute capsule avant de se saborder eux-mêmes pour une raison dont je ne connaîtrais jamais les causes. Sans doute par manque de carburant ou de nourriture. Ils furent donc rappelés au bercail malgré la si longue distance qui les en séparait. Le vaisseau aurait ensuite dégringolé en comète depuis la stratosphère et jusqu'alors endormit, l'équipage périt sans connaître souffrance. Un luxe presque frustrant pour des aventuriers de l'espace. Qu'est-ce que cela put être pour eux, ce sentiment d'échapper à la mort en solitaire dans le néant du cosmos ? Je devrais me retourner la question car dans un certain sens, cette jungle aussi est mon cosmos de solitaire. Rien que ça tu sais, rien que le fait de croire qu'un jour, d'une manière ou d'une autre, tu t'éteindras pour toujours. Cette idée de fin irrémédiable qui s'annonce dès le début, qui te laisse le temps de t'y préparer, c'est terrifiant une telle croyance.

Ce soir, je bivouaque sur la carlingue du vaisseau. La mousse s'y est déjà bien installée, elle le recouvrira entièrement d'ici quelques années et l'on passera devant ce talus en devenir sans se douter de quoi que ce soit. Voici donc l'empreinte des temps révolus que je recherchais, mais n'y a-t-il rien d'autre à subsister ? Je me perds à croire qu'il faudra forer profondément le sol pour y retrouver l'une de nos vieilles cités. Bah, à quoi bon piocher dans le passé quand il est devenu tombeau ? Lorsque tout à l'heure je passais en revue les lits de sommeil artificiel, je m'apercevais que l'un d'entre eux était vide d'ossements, pas un index. L'un des passagers aurait-il échappé à la catastrophe ? Et si oui par quel moyen ? L'énigme m'échappe. La nuit passée, je quitte ce misérable cairn l'esprit frustré par ma funèbre découverte. À la recherche des traces d'un sixième corps, je balaye les environs du crash sur un rayon de 300 mètres mais ne trouve rien. À quoi bon, cette personne pourrait être n'importe où, sur Terre, Mars ou même une dimension parallèle à la nôtre. Allons avançons, je cherche des vivants pas des morts. Lula, Lula où es-tu ?

Un de ces matins froids et brumeux, alors que je m'éveille d'un léger sommeil, les projecteurs de la lueur du jour éclairent là-bas, à 200 mètres droit devant moi, la jungle et sa terre ferme. Comme par enchantement, l'enfer s'efface enfin de mon champ de vision et s'enfuit en cavale loin derrière mon dos. Mais alors que dans l'obscurité vacillante je m'apprête à sauter à l'eau, je me vois encerclé par une horde de caïmans assoupis. Là, tout autour de mon îlot, une vingtaine de reptiles dont seuls les dessus de crânes aux yeux rêveurs ressortent des flots. Je retiens d'emblée ma respiration et recule à tâtons. Certains mâles mesurent bien 3 mètres et les femelles somnolent auprès de leurs petits. Les parois de mon atoll sont trop raides pour envisager une attaque de mes assaillants, je me retrouve néanmoins en position de siège. À un contre vingt, je ne donnerai rien de ma pauvre chair ni même de mon âme qui ne saurait trouver quelconque échappatoire à travers le massacre de mon squelette. Il faudra traverser ce *no man's lake* comme un fantôme, un assassin d'empereurs.

Le visage et le haut du corps peinturlurés de boue, je me glisse vers mon suicide dans les eaux au reflet noir et totalement immobiles. Les ondulations viennent caresser les joues écaillées des caïmans épris d'un sommeil à l'apparence plutôt profonde. L'espace d'un instant, je me prends à croire que tout ceci n'est qu'un cruel subterfuge et que feignant leur sommeil, les caïmans attendent seulement que je sois suffisamment éloigné de mon bastion pour me fondre dessus d'un simple coup de patte palmé. Il n'en est rien mais pour la proie que je suis, l'imagination n'est que torture. 1 mètre, 2 mètres, j'avance au beau milieu de ces faux cadavres le javelot au-dessus de la tête et prêt à s'abattre sur le crâne du premier somnambule. 5 mètres, je traverse le dernier rang de caïmans, frôle de ma jambe la queue d'un d'entre eux et m'apprête à lui percer la peau au moindre geste suspect. Il demeure impassible, trop ancré dans les méandres de sa nuit. 10 mètres, la voie est libre je peux accélérer la cadence et foncer vers la jungle.

À mi-chemin, je me retourne, et aperçois une horde de têtes reptiliennes fixant sur moi leurs yeux rouges. Furtivement, elles avancent laissant dériver dans leurs sillages des petites vaguelettes à la peau lisse. 100 mètres de courses avec mes jambes prisonnières des flots, ils gagnent sur moi mais je parviens à sauter sur la berge alors que les premiers de mes poursuivants n'étaient plus qu'à une infime encablure de ma carcasse. Incapables de se hisser sur la paroi séparant le marécage de la berge, les caïmans s'agglutinent autour de moi comme un banc de carpes affamées, m'exhibant leurs dents de fer les mâchoires grandes ouvertes. Je ramasse un stock de pierres et les catapulte avec acharnement sur le caïman le plus fauve qui finit par prendre la fuite à la tête de ses congénères. Rugissement de victoire. Il était l'alpha et je l'ai vaincu, pour sa faute la horde le dévorera ce soir. Libéré des derniers crocs de l'enfer, me voici maintenant livré à la jungle, ses lianes, son peuple... La lumière éclate à nouveau, elle est la source du vivant. J'entends déjà très proches les vols stationnaires d'insectes, ça butine d'un peu partout devant moi.

Pairi-Daeza

Jours 51 à 57

Le ventre vide et sans chemin, je pénètre ce territoire aux mille espèces végétales et parfums épicés. Au-dessus de ma tête, les lumières du soleil s'écrasent contre la voûte des arbres feuillus. Certains rayons parviennent malgré tout à se frayer chemin jusqu'au sol, tachetant l'ombrage de petites et grandes sphères lumineuses. Cette jungle est un palais majestueux de nature, il y a du jaune, du rouge, du bleu du vert, des festins de fruits, des trônes, des statues, des colonnes de bois et de pierres. Il faut parfois compter jusqu'à 12 enjambées pour faire le tour du tronc d'un arbre gratte-ciel. *Damn*, l'homme est si insignifiant. D'incessants vols migratoires obstruent le ciel dans un fracas de frappements d'ailes multicolores s'éloignant en écho. Constellations d'oiseaux, où vont-ils tous ?

J'avance de jour comme de nuit selon mes élans d'énergie, la même routine de survie s'installe mécaniquement, marcher, chasser, faire un feu, manger, dormir. Je trouve souvent sur mon chemin des fruits cousins éloignés du pitaya ou de la papaye et profite des fortes averses pour remplir ma gourde au goulot d'une feuille de bananier. Pour ce qui est des habitants de la jungle, ils sont furtifs, constamment aux aguets, difficiles à traquer… En ramener dans sa gamelle du soir demande patience et discipline. Croisant une troupe de chimpanzés nichés dans un arbre et regrettablement hors de portée de mon javelot, je me demande naïvement si leurs enfants deviendront un jour des hommes. Comme tous bons descendants de ma sombre dynastie, il y a les deux fortes têtes qui se chamaillent pour régner sur la plus haute branche de l'édifice. Et cela sous les yeux envoûtés et à tout jamais spectateurs du reste de la troupe. Mais alors que dans un éclair de folie non maîtrisée je rejoins la cacophonie en braillant comme un gorille, la petite troupe s'enfuit et me revoici maître des lieux.

Jour 58

Soir du sixième jour dans la jungle, je bivouaque en bordure d'une petite marre déserte de poissons, mais où quelconque gibier pourrait venir s'abreuver. L'immobilité et le silence des parages agissent comme de parfaits somnifères car sans vraiment le vouloir je m'endors adossé contre mon arbre. Réveillé par le froid je reste au calme à contempler la magie du point du jour lorsque sortant des ombres, s'approche au bord de la marre un cochon sauvage au poil tout noir. Bingo ! Je me dissimule et attends de l'avoir en ligne de mire. Paisible, l'animal n'a pas le temps de tremper une lèvre dans la marre, ni moi-même la spontanéité d'envoyer mon javelot pour l'abattre que sortie de nulle part, jaillit Lula qui couche le cochon au sol d'une foreuse morsure à la gorge. Mort sur le coup, il n'eut le temps ni de gémir ni même de frémir, pour lui la mort est arrivée sans crainte. Lula s'allonge de moitié sur le refroidissant cadavre laissant reposer sa patte gauche au-dessus du visage inanimé de sa victime. Ne dévorant pas sa proie tout de suite, je comprends qu'elle la partagera grillée avec moi. Attisé par l'estomac qui gronde, je me hâte à démarrer un feu, vide le cochon et le fais griller. Cela prendra deux heures, mais avec Lula, nous restons côte à côte à patienter devant le lever du jour attisant la beauté des flammes.

Où était-elle donc passée et depuis quand me guettait-elle aux abords de la marre ? Je l'imagine s'en étant retournée chez elle auprès des siens. Avec un tel flair, elle me retrouverait sans mal où que je sois dans cette jungle même si cela lui demandait une semaine de pistage et de course effrénée. La viande bien grillée, nous brunchons et je nous excuse tous les deux auprès de l'esprit du malheureux cochon tout en savourant sa chair.

Heureux de retrouver Lula et son regard si expressif. Enfin un peu de compagnie dans ce monde sans voix ni langage. Tssst pas si vite Tommy tu perds la raison. Qu'en est-il du braille indéchiffré des écorces, du pouls des racines, du dialecte des ondulations de l'eau, de la mélodie des pluies ou de la berceuse des zozios ? Hé ! Le sauvage a son propre codex mais encore faudrait-il savoir le décrypter et… Il y en aurait tant à apprendre. Au-delà des simples regards, une langue inter-espèce mériterait sa place autant en ce nouveau monde que dans l'ancien. La voix des vivants, celle des bêtes terriennes, coexistantes. Oui, tu *père* la raison bien en effet vieux fou. Tes pensées tournent en rond, elles rentrent en collision.

Jours 59 et 64 : 2 mois

Nous arpentons la jungle ensemble comme deux chasseurs aux styles distinctifs. En prédation, lorsque le pur instinct animal et l'ingénierie se rencontrent, cela devient de l'*instingénierie*, c'est redoutable. Lula a dans sa façon de se déplacer au sol ou dans les arbres, la furtivité, l'assurance et la grâce propre à tous prédateurs régnant au pic de la chaîne. C'est majestueux de marcher à son côté. Un après-midi alors que nous ratissions les fourrés à quelques mètres de distance l'un de l'autre, je repérais aux jumelles une sorte de hyène-biche anormalement solitaire avançant dans notre direction. Par réflexe, je susurre discrètement un petit « Luuula », et la voici qui d'un coup de tête en ma direction répond à mon appel puis se dissimule dans les hautes herbes. Tous deux couchés au sol, nous attendons sagement l'approche de notre proie. Le vent est contre nous, il couvrira nos odeurs.

À 20 mètres, Lula la contourne et la prend en chasse de flanc, la hyène-biche qui comprend tout de suite qu'elle ne fera pas le poids prend la fuite au galop dans le sens opposé. Arrivée dans ma ligne de mire et quasiment à bout portant, je sors des fourrés, arme puis lance mon javelot qui – lévitant une ½ seconde dans l'air – finit sèchement sa course à demi planté dans le crâne de l'animal qui m'ayant vu surgir de nulle part, avait tenté de bifurquer au tout dernier moment. Morte sur le coup, la hyène-biche s'effondre au sol le regard vide. Lula pose sa patte sur son visage la renifle et me confirme sa mort d'un grognement. Je la transporte sur mon dos pour le repas du soir. En chemin, je récupère aussi dans ma gamelle de la sève coulant d'un tronc d'arbre. Ça faisait longtemps. Bivouac, feu, viande nerveuse, les cuisses et la cervelle ont bon goût.

Jours 65 à 72

Orages, voilà deux jours que le ciel se fissure dans un vacarme apocalyptique. Ça tombe à foison, dans l'incapacité de créer la moindre étincelle, nous mangeons notre viande crue et quelques fruits tombant au sol sous la force des bourrasques. Douchée vive, lavée de ses vieilles poussières la forêt devient toute propre, elle brille, luisante de ses couleurs brutes. Un éclair s'est abattu sur un arbre proche de notre position. Le cisaillant en deux, la partie supérieure s'est effondrée dans un croissement infernal en notre direction sans nous écrabouiller pour autant, mais en faisant trembler le sol comme jamais je ne l'avais ressenti auparavant. Dans la déchirure, la partie inférieure de l'arbre resta bien plantée en surface sur une quinzaine de mètres de hauteur comme une grosse arête fumante et striée de larges échardes. Je profite d'une accalmie pour examiner brièvement les différentes couches d'écorces et de moelles mises à nu par la foudre et me perds dans tous ces traits marquants le poids des âges. On dirait des veines formant une à une des ruisseaux intérieurs de sèves encore vivaces mais bientôt fossilisées.

Avant la reprise du déluge, je rassemble sur une petite butte un amas de branches brisées et les dépose contre le tronc de l'arbre qui – agonisant – s'étale au sol sur une cinquantaine de mètres. La charpente terminée, j'y ajoute plusieurs couches de mousse et toutes sortes de feuillages pour absorber les fortes pluies qui s'annoncent dans le gris du ciel. Creuse à la hâte une tranchée autour de la butte pour faire bifurquer le fil des ruisseaux de pluie déjà en chemin. Je mets également au sec du bois trempé et m'emmitoufle dans le stock de fourrures que je prélève sur le cadavre de chacune de nos proies avant de les faire rôtir. L'abri n'est pas spacieux mais le toit est étanche et le sol surélevé restera plutôt sec que mouillé. Il y a de la place pour Lula, le feu et moi. Nous sommes en milieu de journée mais c'est un ciel de nuit qui couvre nos têtes. On dirait que les nuages plus sombres les uns que les autres se font la guerre. C'est dans ces images de chaos, qu'explose soudain le fracas tonitruant du tonnerre recrachant à retardement ses éclairs supersoniques. C'est un concert de lames et de marteaux qui s'aiguisent contre le dos du ciel, comme si les dieux dans leurs colères se cherchaient un chemin vers notre bas monde pour le mettre à feu et à sang alors que la pluie s'effondre sur nous depuis des jours.

Je profite de ce temps mort pour me confectionner un poncho et des mitaines de peau de bête, quelques petites torches portables, me couper les cheveux, me raser et me griffer les ongles avec tous les ustensiles que j'ai pu récupérer sur mon chemin jusqu'ici (silex, os, crocs, griffes, arêtes...). Intriguée, Lula m'observe et me découvre sous un tout autre visage mais ne semble pas contrariée par la perte de tout mon pelage. Pour ma part, je ne verrai jamais vraiment le résultat, ce n'est certainement pas très ajusté mais je me sens nettement plus léger. Les chutes de barbes et de cheveux serviront d'allume-feu. La pluie ne cesse jamais, hier Lula a flairé et ramené deux rongeurs que j'ai pu faire cuire un à un dans notre petit four creusé à même le tronc nous servant de mur porteur. Lula est trempée, elle sent le chien mouillé. Nous hibernons.

Jour 73

Nous sommes réveillés quelques jours plus tard par le silence vacant laissé par la pluie déserteuse du ciel. Ce ne sont plus des gouttes qui s'éclatent contre le sol mais les rayons du soleil qui viennent faire s'évaporer les flaques d'eau. Je me charge de faire sécher mes affaires tandis ce que Lula s'en va chasser. Cette longue sieste m'aura fait le plus grand bien, j'avais le corps tout courbaturé et les articulations bien rouillées à force de crapahuter cette jungle. Un peu d'inaction, c'était tout ce qu'il fallait pour s'auto-régénérer.

L'estomac rempli et mon barda bien sec, nous reprenons notre marche en avant vers je ne sais où. Reverrais-je un jour l'un de mes semblables ou ne serait-ce qu'un pauvre vestige de ma patrie auquel je pourrai me raccrocher ? C'est bien cette espérance qui me pousse à continuer mes fouilles. Tout est si vaste si… Vivant. Le jour viendra où je trouverai un havre de paix, m'y installerai avec Lula et attendrai un signe de l'univers ou simplement une mort en toute quiétude. Alors qu'avant notre extinction, je ne rêvais que de grand air maintenant je donnerai tout pour retrouver un pan de notre terre moderne, de son confort, de sa facilité dans tout. Ah le désir et ses vents contraires... Un jour, j'en chavirerai.

Jours 74 à 78

Toujours la même jungle, territoire de multiples volatiles et primates. Nous ne chassons qu'au sol au corps à corps avec nos proies et collectionnons en souvenirs toutes sortes de morsures, coups de griffes et coups de pattes. Lula se met à apprécier les fruits avant ou après le repas mais il semblerait ne jamais y en avoir assez pour la rassasier. Avant-hier, elle m'a laissé la caresser d'une main timide qu'elle lécha tout en grognant. Je prends cela comme une réelle marque d'affection et commence à croire qu'elle ne me quittera jamais plus.

Découverte incongrue à la mi-journée. Alors que je marche à grands pas dans la jungle épaisse, Lula – partie en éclaireuse – m'alerte d'un rugissement. Une trouvaille, du gibier ? Je réponds au signal, remonte la piste et la retrouve 500 mètres plus loin à la surface d'une immense crevasse. Elle est comme une fissure dans le sol. Les parois sont escarpées, elles tracent une ligne droite s'élargissant sur 150 mètres de longueur avant de s'ouvrir sur un large cratère circulaire. Vu du ciel, l'ensemble prendrait presque la forme d'un corps de têtard ou d'un œil arraché précédé de ses veines en filaments. Le ravin s'enfonce d'une quinzaine de mètres dans la terre, à ce niveau coule une rivière souterraine dont s'échappe une légère buée. Elle s'étale sur toute la longueur du canyon et se verse au cœur du cratère en y créant alors une piscine naturelle d'environ 20 mètres de diamètre. Tout le long du canyon, gisent verticalement des arbres à demi effondrés, retenus par leurs longues racines ils forment des ponts naturels entre chaque paroi de l'édifice.

Arrivés au sommet du cratère, je me rends compte que nous nous trouvons au-dessus d'un véritable cénote aux façades recouvertes de mousse, lianes et autres végétaux poussant dans le vide. Certains sont si longs que leur tige ou racines trempent dans le bassin en contre-bas. Pour y descendre, je me confectionne une longue corde à partir de 3 lianes nouées ensemble que j'accrocherai à la cime d'un arbre qui penche au-dessus du gouffre. Après un petit numéro de funambule, j'accroche la corde, lance mon barda sur un rocher en bordure du bassin et descends en rappel. Proche de la surface, je trempe mon pied, l'eau est brûlante mais j'y plonge quand même et m'adapte rapidement à la température de ces sources chaudes. Au final, c'est comme prendre un bon bain, et bon sang que c'est bon. Se baigner dans une eau pareille, cette chaleur pénétrant tout le corps, réchauffant les cellules de tout hémisphère… C'est à en vouloir devenir semi-amphibien.

Jusque-là hésitante, Lula finit par céder à mes appels et me rejoint d'un saut d'ange félin en plein centre de la piscine naturelle. Ainsi, nous barbotons ensemble en parcourant la marre de long en large. Je scrute les fonds les yeux grands ouverts, il faut d'abord parcourir deux bons mètres de brouillard aquatique où l'on ne perçoit rien d'autre qu'un voile de bleu farineux pour ensuite pénétrer au cœur d'une eau à la clarté totale. Pour atteindre le palier de clarté plus rapidement, je saute depuis l'arbre plongeoir une pierre à la main et réitère l'exercice à plusieurs reprises. Je ne tiens en apnée qu'une trentaine de secondes, mais parviens tout de même à distinguer le fond rocailleux du canyon et les strates indélébiles laissées par le niveau des eaux année après année. Ce canyon a vécu l'éternité d'un vieux sage.

En inspectant le fond avec plus d'attention, je distingue – parmi les autres – un gros roc en forme de cône, il m'intrigue alors je continue mes recherches en plongeant de plus en plus profondément dans les abymes. C'est tout flou mais après une dizaine de plongeons j'en suis sûr, cette forme conique n'est pas une drôle de roche mais une capsule de sauvetage bien amochée. Un « pod ». Elle est de couleur acier, je discerne difficilement ce qui pourrait être des traces de brûlé, de multiples impacts, une écoutille à demi ouverte, des petits hublots, des câbles et des inscriptions chiffrées sur la paroi – peut-être « A3 - B9 ». Impossible de s'aventurer plus loin, l'épave est trop profonde, la pression trop forte.

Épuisé par la nage, je finis par rejoindre Lula séchant à fleur d'eau en bordure du cénote. Plus de doute, cette capsule abritait le sixième passager du vaisseau fantôme des marécages et ce canyon fut sa piste d'atterrissage, de crash. Mais s'il n'est pas mort sur le coup, comment le rescapé aurait-il pu sortir de ce trou à rat ? Les parois sont bien trop raides et poisseuses pour être escaladées.

Après une courte pause, nous faisons le tour du site en empruntant un sentier creusé par l'érosion. Il y a des petits arcs en ciel qui émergent de partout où la vapeur d'eau montante rencontre un faisceau lumineux. Lula découvre en chemin une cavité jusque-là dissimulée par un épais rideau de lianes et de fougères. Ce n'est qu'une toute petite grotte où la lumière peine à faire régner sa loi mais peu importe, Lula s'y engage et je la suis en rampant. 10 mètres plus tard, c'est le noir complet. J'allume une de mes petites torches en fourrure, le goulot s'élargit en profondeur, il pleut des petites gouttes d'eau tiède depuis les stalagmites accrochées sous la voûte rocheuse. Le bout du tunnel s'ouvre sur une petite crypte en cul-de-sac dans laquelle je peux quasiment me tenir debout. Il y a une ombre d'apparence humaine au fond. Lula s'en approche et la renifle. C'est bien ce que je redoutais, cette pièce fut l'ultime refuge du sixième passager. Passagère. La combinaison de modèle féminin est en lambeaux, pas de casque, pas de sac, juste un fragment de nom sur un insigne déchiré « F. Zom… » Le squelette tient en quelques morceaux avec de multiples fractures au crâne, des côtes fêlées et des os brisés. Derrière elle, taillées sur le mur qui lui sert encore de dossier, figurent des inscriptions plus qu'étranges, des formes et signes que je n'avais jamais vus auparavant. Quelque chose de méta.

Fin de l'énigme de la sixième passagère. Pauvre femme, pilote du vaisseau mère elle l'aurait abandonné en catastrophe dans l'espoir d'échapper au crash avant de subir le même sort ici. Le choc de l'atterrissage l'aura bien amoché et elle aurait trouvé refuge dans cette cavité tandis que la capsule creusait sa tombe en fond de bassin. Vu l'état du corps, c'est déjà un exploit d'avoir pu s'extraire de l'appareil et se hisser jusqu'ici pour échapper à la noyade. Cela révèle indéniablement une force mentale hors du commun mais l'infortunée succomba à ses blessures malgré tout. Triste destin. J'arrive trop tard encore une fois. Ne sachant pas vraiment quoi faire du corps, je l'allonge sur le dos et lui joins solennellement les mains en croix sur la poitrine comme on aurait pu le faire à une pharaonne. La cérémonie achevée, je quitte la sépulture et scelle son entrée avec de grosses pierres.

Le soir venu, nous dormons le ventre vide sous le regard scintillant des étoiles et cela nous suffit. Une envie de bain de minuit me titille à peine l'esprit que je l'exauce et saute dans le vide pour atterrir dans les eaux bouillantes du cénote. J'y fais la planche toujours sous le regard protecteur de la Voie lactée. Une pensée pour la malheureuse F. Zom, un remerciement pour cette piscine semi-naturelle dont elle est l'auteure, un regret pour ne pas être arrivé plus tôt, une interrogation sur sa vie dans le cosmos, sur sa mort. F. Zom, reposez en paix.

Léger choc thermique en ressortant de l'eau, mais notre feu de camp veille encore et toujours. Ce feu, ce si bon feu qui me réchauffe, est-il élément de la nature ou *transélémence* de l'homme ? Progéniture bâtarde des éclairs éjaculant leur foudre sur l'arbre mort. Le feu naît, il y a eu copulation. Procréation des frottements de deux silex. Il y a eu invention, technologie, clonage, domestication. Tout comme bien d'autres fulgurances de la nature, la généalogie des flammes est un sacré sac de nœuds. Il faut l'imaginer en flammèche errante, orpheline, à mener une fugue sans repères, traçant un chemin de poudre à la recherche de son géniteur naturel.

Jour 79

Reprenons la marche vers l'Ouest, dos aux lumières du levant faisant ressortir des ombres notre inconnu chemin qui lui se referme aussitôt dans notre dos. Lula part en reconnaissance à la recherche de nourriture. Je l'observe de loin flairant les arbres en quête d'une piste. Dans notre état, nous serions prêts à croquer dans n'importe quelle chair animale ou végétale. Nous traquons, des traces sèches, des crottes sèches… Rien d'assez frais et toujours rien à nous mettre sous la dent en fin de journée. Ce lieu de crash serait-il devenu zone interdite, terrain maudit pour la faune environnante ?

Quand vient la nuit, un tout autre monde recouvre nos têtes et je décèle en Lula les plans d'une chasse nocturne. À plus tard, ma belle, je ne peux chasser dans le noir mais comme tout félin, Lula ne connaît pas l'obscurité des hommes sans feu. Dans le doute, je me place en embuscade ma hache en main et adapte ma rétine aux mystères de la nuit en fixant mon regard sur un arbre pendant de longues minutes. Cela prend un moment, mais après une demi-heure, mon horizon noir s'approfondit de long en large me dévoilant des formes mouvantes quasiment imperceptibles. Ses formes que je perçois là devant moi sont-elles le fruit d'un état purement naturel ou quelconque mirage de l'esprit ? Je ne sais pas, peut-être un peu des deux, ceci n'est que l'affrontement de la réalité et de l'hypnose. Mais alors que je vogue en plein délire, une colonie de papillons phosphorescents traverse mon champ de vision. Voyageurs magiques, ils détalent mais restent visibles jusque très loin dans la nuit. Lula reviendra bredouille, mais où est donc passé le gibier ? Il nous fuit.

Jours 80 à 95 : 3 mois

Avant-hier, rongés par la faim je cueillais des plantes, racines et champignons à l'apparence comestibles et les faisait cuir pour Lula et moi. Excellente mixture qui nous remis d'aplomb pour la chasse. Mais alors que nous étions en pleine phase de prédation, je sentais mon champ de vision se rétracter dans un flou sensoriel. Je m'arrête un instant, quelques claques, me frotte les yeux, les ferme puis les rouvre, sans résultats. Lula fait des tours sur elle-même comme si elle voulait se mordre la queue. Dépouillée de ses couleurs naturelles, la forêt se teintait de tâches multicolores et scintillantes. Autour de nous, tout s'accélérait dans le mouvement des branches, les chants de piaf ou encore les défilés de fourmis. Pour Lula et moi, il était impossible de bouger autrement qu'au triple ralenti et sans le moindre équilibre.

Mon regard perçait toutes structures alentours, ainsi se dévoilait face à moi l'envers des écorces et l'itinéraire des rivières de sèves, l'ossature majestueuse de Lula et le dessin des rafles du vent emportant avec elles tout repère temporel. Puis la meute du surnaturel survint depuis les hauteurs du ciel pour nous assaillir l'esprit. Harde de spectres, les forces de la nature tournoyant comme des fantômes autour de nos corps impuissants et bousculés. Des entités animales, elles hurlent en furie, s'infiltrent par ma bouche et m'abattent au sol en me croquant les muscles de l'intérieur. Je me sens mourir pour de bon le corps criblé de ronces lacérantes que j'essaye en vain d'extraire de tous mes membres dont les gouttes de sang s'élèvent en direction des cieux. Avant de perdre connaissance, je me souviens sortir de mon enveloppe corporelle pour porter secours à Lula se débattant en tous sens contre je ne sais quels autres monstres invisibles. En vain.

Peut-être avons-nous dormi des jours ou seulement le temps d'une courte sieste digestive. Toujours est-il que je me réveillais en suffoquant et me demandant un court instant si je n'étais pas encore sous l'effet des drogues. Car, Lula et moi nous retrouvions le cou, la taille, les bras et les jambes ligotés par les corps interminables de deux monstrueux pythons. Impossible de bouger, les deux reptiles aux têtes sifflotantes nouaient méticuleusement leurs nœuds. Asphyxie, une mort lente au regard jaune ce profilait pour Lula et moi. Les tempes au bord de l'implosion, je glissais mes doigts entre leurs muscles et mon cou pour gagner un petit répit d'oxygène. Avis de panique, la fin semblait si proche. J'observais Lula impuissante respirer à petites bouffées tout en plantant profondément ses griffes dans la peau d'un des étrangleurs. Mais cela n'y faisait rien, les gonds se resserraient toujours plus malgré la résistance de nos muscles en hypertension.

Le sang qui ne circule plus, la peau toute rouge, les yeux éclatés. Face à l'urgence et en plein bras de fer, j'extirpais ma main droite jusque-là prisonnière de la queue d'un de nos assassins. Récupérais enfin mon coutelas pour éventrer furieusement les deux bêtes d'une vingtaine de coups à tout endroit où la longueur de mon bras pouvait les atteindre. Retrouvant coup à coup notre liberté de mouvement, Lula se retourna d'un bond et dévora littéralement la tête d'un des reptiles qui en ressortit totalement broyée, en charpie. Dans le même temps, je transperçais la gorge du complice en y faisant littéralement passer mon couteau de rage suivi de mon avant-bras. Empalé sec, sa tête me regarde encore toute chancelante comme un bracelet trop large pendant au niveau du coude. Nous restons allongés une petite heure entre ces deux cadavres pour dégonfler et rétablir le flux du sang dans tous nos membres. Une fois quelques forces retrouvées, je me fais vomir afin d'épurer mon organisme de toutes substances toxiques.

Damnés soient ces foutus végétaux hallucinogènes, ils ont bien failli nous tuer mais au final, nous étions les appâts de notre propre chasse et ce soir nous mangerons du python fumé. Les deux spécimens mesurent 3 - 4 mètres pour 60 - 70 kilos environ. Je dépèce le plus lourd des deux et ajoute les chutes de peaux à ma collection de fourrure. À chair nue de couleur blanche, je le vide – il est rempli d'ossements de ces précédentes victimes – l'enroule autour d'une branche et le fait cuir au-dessus des flammes. La viande est assez élastique mais on s'y fait rapidement et dans notre état de fringale, on se régale.

Avant cet épisode, pour moi, le danger c'était nous, personne d'autre, le duo invincible. Force est de constater que non lorsque la mort vous frôle d'aussi près. Avant de fermer l'œil, je caresse mon coutelas, notre sauveur. Merci pour ce cadeau Tupyaawo, avec lui je suis avec toi, c'est comme si tu vivais dans cette lame.

Le lendemain matin, nous attaquons le deuxième python et les restes de celui de la veille au petit-déjeuner. Par gourmandise, il me vient à regretter l'absence d'un troisième larron, mais dans ce cas, serions-nous toujours sortis indemnes de l'embuscade ? Pas certain, ce sont des bêtes bien tenaces. Nous garderons à nouveau les restes du petit-déjeuner pour les repas du midi et du soir.

Journée bulle. Détente, recherche d'eau. Réflexions sur le nouveau monde. J'observe la cime des arbres comme des vitraux mouvants éclairant les merveilles de ce lieu voué au culte végétal. Après trois mois passés dans ce sanctuaire, je n'en reviens toujours pas. Tous ces arbres, toutes ces plantes, toute cette vie libre… Tout cela rayé des lignes de l'histoire de la terre sur laquelle il a fallu tirer une page noire de suie avant de pouvoir se remettre à y écrire en y faisant renaître les germes d'un monde plus fort et plus sauvage que jamais auparavant. Comme si tout avait été déposé là d'une main souveraine déplaçant stratégiquement ses pions sur l'échiquier. Mais dans cette partie endiablée, à quel adversaire macabre s'oppose donc notre main souveraine ? Sans doute les affres du temps dont nous traversons les ronces en rampant tout au long de notre existence. Elles qui

– se faisant toujours plus épineuses – nous écorchent jusqu'à nous dévorer tout crus avant de recracher notre âme qu'elles jugent trop indigeste à leur goût.

Mais alors dans ces si hautes sphères, quelle est ma valeur, quel est mon poids, quel est mon rôle ? Moi, le petit mortel. Car il est là, l'homme debout. Il est là à crapahuter la terre, prêt à tout pour survivre en adoucissant ses peines quotidiennes. Est-il intrinsèquement mauvais ou la simple victime de sa naissance ? Orphelin de tout semblables dans quel autre mémoire que la sienne viendrons se réfugier les souvenirs de sa vie, ses exploits, ses légendes... Mon carnet en est ici la parfaite illustration car je n'écris pas seulement pour faire perdurer l'histoire des hommes mais aussi bien pour m'inscrire dans son marbre. Pour que l'on se souvienne de moi, de mes aventures de rescapés de l'ancien monde et pionnier du nouveau qui tient en son cœur une boussole unique. Une boussole à l'aiguille tendant vers l'autre humain que je cherche, celui qui redonnera sens à mon errance.

Jours 96 à 105 : 100 jours

Partage des derniers morceaux de python, nous reprenons la marche en avant pour une dizaine de jours d'aventures et de chasse dans la jungle. Un peu de pluie, ramassons quelques fruits et mordons dans de la volaille tropicale. Croisons un groupe de gorilles paisibles, plus loin dans une clairière. Deux mâles se préparent à un duel pour régler je ne sais quelle querelle. Une histoire de femme sans doute, on dirait deux sumos se toisant l'un l'autre, nous restons en coulisses. Tant par les cris que par la force des coups, le combat est d'une férocité indescriptible, les deux colosses ne paraissent rien sentir à ce qu'ils s'envoient l'un à l'autre. Lula ne tient pas en place, elle est surexcitée. Elle aimerait rentrer dans l'arène et cherche une bonne raison de se battre mais justement, ce n'est pas son combat, elle se résigne et dégage sa frustration en griffant le sol puis des troncs d'arbres. Nous passons notre chemin, peut-être n'était-ce qu'une longue chamaillerie mais je suis toujours interloqué par le déploiement d'une telle force de frappe. Festin de fortune et feu de joie pour fêter l'anniversaire des 100 jours foulés sur cette terre.

Jours 106 à 130 : 4 mois

RAS, les jours passent, le gibier pullule puis s'égare, un jour nous festoyons le lendemain nous jeûnons. Jungle interminable, montagnes, falaises, grandes et petites cascades… Des merveilles partout pour les yeux. 3 jours de marche, 1 jour de pause et ainsi de suite. Lula grossit du ventre. Couverait-elle des petits ? 4e mois d'errance sauvage. Cheminons vers l'Ouest. Nomades.

En somme, il faut voir cette jungle comme une sorte de grand magasin, un drugstore, une grande surface où tout se trouve lorsque l'on est suffisamment ingénieux et que l'on sait où chercher ses articles. En plus, il n'y a pas de caisses, pas de vendeurs, pas de signalétique, pas de tête de gondoles, la mise en rayon se fait toute seule, elle pousse. Il y a des produits finis, d'autres sont de simples matières premières. La seule règle est de se servir de manière mesurée et réfléchie.

Jours 131 et 133

Fin de journée, nous découvrons gisant à nos pieds et pattes le squelette d'un mammouth enseveli de moitié dans la terre. Nous faisons halte. Seul le haut du crâne de la bête émerge à la surface du sol nous dévoilant ses larges orbites. Les défenses engouffrées comme des racines ressortent à l'air libre un mètre plus loin. Elles auraient pu valoir une fortune sur le marché noir.

La nuit levée, nous bivouaquons sous l'imposante cage thoracique du défunt. Les côtes forment de part et d'autre les barreaux d'une petite prison au sol herbeux dans laquelle je ne peux me tenir debout. Les flammes reflètent les ombres osseuses sur la végétation et roches environnantes. Ce mammouth descend certainement d'une lignée ayant vécu pendant l'ère glaciaire marquant le début de mon long coma. Il aurait sans doute succombé à la vieillesse car je ne décèle aucune fracture ni morsure sur la parure de ses os. Peut-être qu'en creusant un peu, nous pourrions en apprendre plus mais… Peu importe.

Nous passerons la journée suivante à chasser et profiter de notre petit refuge que nous quitterons le lendemain matin avec en tête, ce sentiment que le monde tourne rond à nouveau. Ce n'est plus la toupie vacillante que j'ai connue non, le pivotement est à présent parfait, il est fluide, sans déflagration dans l'air. Peut-être est-il même déjà altéré par ma présence humaine mais j'en doute.

Adieu grand mammouth, laissons place libre au temps, éternel et besogneux bâtisseur de tombe.

Jours 134 à 140

Jungle, jungle.

À force d'avancer à travers les barbelés de lianes et de troncs d'arbres, nous naviguons à vue et l'horizon paraît comme crypté par toutes ces fibres de sylve formant à elles toutes une matrice primitive. Je n'ai jamais vu périmètre autant *floralisé*, une sève sur-protéinée transite en toute cette broussaille, dans toute sa chair, son terreau, ses os… Nous faisons halte au pied d'un plateau rocheux que j'escalade mes jumelles autour du cou. Dans le même temps, Lula s'en va en quête de chair fraîche. Arrivé en haut, j'examine le paysage bouche bée.

Bouche bée oui, là sous mes yeux, à des kilomètres tout droit devant… L'océan. Une vaste étendue dont je ne peux distinguer que la vaste couche bleu marine qui s'efface au-delà de tout. Nous l'atteindrons d'ici 3 ou 4 semaines en gardant notre rythme. Enfin du nouveau, moi qui m'étais résigné à ne plus rien découvrir d'autre qu'une infinité de verdures, l'océan m'offre ici un si grand espoir, une si grande excitation. Alors il danse, oui Tommy danse, Tommy chante seul sur son rocher. C'est magnifique, j'aurais commencé mon trip dans le noir glacial de ma petite hutte, pour ensuite arpenter le vaste jaune du désert et enchaîner sur le vert éternel de la forêt-jungle. Mais sa fin la voici, elle est bleu océan.

Redescendu de ma tour de garde, je retrouve Lula couchée sur le cadavre encore chaud d'un gros macaque. Aucune idée de comment m'y prendre pour cuisiner ce truc… Des grillades, j'imagine.

Cuisse de macaque au petit-déjeuner, nous repartons le ventre lourd et me concernant, l'esprit noyé dans les vagues et l'écume.

Lula

Jours 141 à 170 : 5 mois

Ce matin, en ouvrant les yeux, je découvrais Lula couchée au sol les yeux grands ouverts me regardant d'un air à la fois fatigué et apaisé. Le temps de relever la tête au-dessus du feu recrachant ses dernières brumes, que je découvrais trois petits « panthéreaux » blottis les uns entre les autres contre le ventre de leur mère. Ils étaient nés comme ça, en pleine nuit, tout en silence, au coin du feu. « Petite cachottière – m'écriais-je – je me doutais bien que ce n'était pas les macaques et les sangliers qui te faisaient grossir comme ça ». C'est donc pour la saison des amours que Madame m'avait abandonné pendant 10 jours à barboter dans les marécages. Quel réveil que de tomber nez à nez avec ces trois petits bestiaux, c'est une bénédiction. Ah si moi aussi j'avais eu ma saison des amours… Rien que pour abréger ces rêves aphrodisiaques ne quittant plus mes nuits.

Le temps de me remettre l'esprit à l'endroit et j'allais chercher du bois pour garder les petits au chaud. Par la suite, je partais en forêt en quête de nourriture le coutelas bien aiguisé javelot et hache à la main. L'occasion pour Lula de prendre soin de ses petits en toute intimité. Je revenais en fin de journée, avec un rat des bois bien grassouillet et quelques mangues pas encore très mûres. Je restais à l'écart à préparer le repas et m'approchais enfin du feu pour faire cuire la viande. Lula n'avait pas bougé de toute la journée, toujours allongée sur le côté allaitant les trois panthéreaux affamés. La viande bien cuite, j'en offrais une bonne portion à Lula pour qu'elle retrouve des forces vives. Nous ne pouvions nous parler mais en tant que compagnons de route, je pouvais toujours puiser des mots ou ne serait-ce qu'une simple émotion dans son regard. Ce soir-là, j'y lisais comme une sincère reconnaissance. Après le repas, je les laissais en famille et grimpais en haut d'un arbre pour y monter la garde jusqu'au petit matin.

Pour ne pas perturber le sevrage des panthéreaux et la convalescence de Lula, je passerai les prochains jours à crapahuter la jungle en quête de nourriture et ne reviendrai au campement que le soir pour préparer le dîner. Et oui, 3 carnivores de plus à nourrir ce n'est pas rien. J'ai pu localiser une marre situé à environ 2 kilomètres du campement, je finis par l'atteindre et y passerai la plupart de mes journées à harponner du poisson. La marre n'est pas profonde car je ne m'y enfonce que jusqu'à la taille, elle est entourée d'un muret rocheux d'où s'écoule un petit filet d'eau provenant d'une autre marre se trouvant à une cinquantaine de mètres en amont. Coin zen idéalement trouvé pour notre halte maternité. Comprenant que nous resterons encore ici pour quelques semaines, je m'installe dans un tipi monté un peu à l'écart de la petite troupe.

Après deux semaines, Lula est à nouveau sur pattes mais ne quitte pas le campement pour surveiller les petits. Deux sont des mâles, une est femelle. Il faut que je réfléchisse à des prénoms. Qu'est-ce que ça grandit vite, ce sont toujours des petites choses mais ils tiennent déjà sur leurs petites jambes faisant furtivement le tour du feu pour s'en retourner dans les jupons de maman. Lorsqu'ils s'éloignent de trop, Lula vient les récupérer et s'ils ne veulent pas rentrer elle les ramène un a un entre ses crocs. Autrement, ils dorment, se réveillent, se battent à pleines dents puis se câlinent et se rendorment. Et dire qu'ils deviendront un jour de grands fauves. Le soir, nous partageons la pêche, chasse ou cueillette du jour en 5, chacun sa portion et quand l'un veut la part de l'autre, maman grogne. Le matin, ils me réveillent selon l'humeur soit d'un coup de langue au visage soit d'un bond sur le ventre en me jetant un regard espiègle et batailleur. Alors – étoffant un peu plus ma collection de griffures aux avant-bras –, on joue à se donner des coups de bras, de pattes et de crocs.

Plantation d'une dizaine de manguiers à partir des noyaux de mangues dévorés par Lula et moi-même. Simple geste de rétribution envers cette jungle salvatrice qui m'offre toit, nourriture et compagnie depuis des mois.

Jours 170 à 180 : 6 mois

Après un mois, la famille panthère m'accompagne jusqu'à l'étang. Les panthéreaux batifolent, courent partout, grimpent aux arbres, chassent les petites bêtes… Pour eux, tout est nouveau, tout est découverte, ils ne connaissent ni le bon ni le mauvais des choses. Ils ne connaissent pas le danger pas même la fougue qui les anime et qui les guide instinctivement vers de toutes premières leçons de vie. Ainsi nous escortons chaque jour les petits dans leur exploration du monde. Ils font bien chacun la taille d'un chat adulte, ont de longues oreilles de lynx et – je ne l'avais pas remarqué au premier coup d'œil – ils portent tous la même marque génétique de leur mère, deux petites larmes blanches égarées quelque part dans leur pelage noir. Sur l'épaule droite pour la femelle, sur le dessus du crâne pour le premier mâle et bien en évidence au niveau du thorax pour le second.

Baptême de prénoms : Apaloosa (la femelle) très autoritaire auprès de ses frères, Choctaw (le mâle aux larmes sur le crâne) et Cherokee (mâle aux larmes sur le thorax) sont deux véritables têtes brûlées.

L'air de la mer me monte de plus en plus à la tête et après bon entendement, je décide de m'y rendre en éclaireur. Lula et ses panthéreaux me rejoindront à la trace une fois qu'ils seront en mesure de se déplacer sur de longues distances. Mon sac est bouclé pour demain matin, je l'ai mis bien en évidence devant mon abri pour que Lula comprenne mon départ. Elle approuve ma décision d'une léchouille à la main puis retourne faire la toilette des petits. Au point du jour, je suis triste de les quitter mais c'est la meilleure chose à faire pour ne plus tourner en rond et ne pas perturber l'éducation des jeunes panthères.

Apaloosa, Choctaw et Cherokee dansent autour de leur dernier feu, avec Lula nous partageons un regard, une caresse pour se dire « à bientôt », puis je tourne le dos et m'évapore dans la brousse. En m'éloignant sur la première centaine de mètres, je sens ses yeux accompagner mes pas. Fantaisie humaine.

Solo

Jours 181 à 197

Rien de bon à mettre sous la plume si ce n'est ma détermination certaine d'en finir avec l'interminable jungle. J'imagine la famille panthère en plein apprentissage de la science en vie sauvage – la SVS. Rien de bon à me mettre sous la dent non plus, cette zone n'est plus le potager fruitier que j'ai connu auparavant alors je me rabats sur la chasse aux quadrupèdes. Merci à eux et longue errance à leurs âmes.

Jackpot, je trouvais hier sur mon chemin un bananier bien fécond. J'en découpais une large grappe qui me nourrira pour 3-4 jours à rations de bananes flambées. Depuis, je parsème ma route de peaux de bananes pour laisser une trace de mon passage à qui je sais.

Mauvaise chute en dégringolant d'un trop haut perchoir et nouvelle halte forcée. Sale entorse sur la cheville droite que j'immobilise avec une attelle de fortune à base de lianes et de bûches fendues à la hache. Pas de pommade pour soulager la douleur, dommage c'est bien gonflé. Maintenant il n'y plus qu'à attendre le rétablissement des tendons et des tissus. Je reste alors confortablement installé dans un matelas de fourrures adossé contre un arbre à ruminer sur mon sort. Bougre d'idiot.

Heureusement, il me reste encore quelques bananes à becter. Forcé de changer d'arbre car celui-ci est une véritable ruche d'araignées, le temps d'un petit somme et je me réveillais couvert de la tête aux pieds plein de mygales velues à 10 yeux et 20 pattes. La nuit tombe, mon nouvel arbre est désert, j'entends bêtes et farfadets gambader non loin de moi. Ils me sentent, impuissant, estropié…

Solitude. Décidément, mon nouvel objectif se fait désirer. Ah toi l'océan, vivement toi l'océan.

3 jours alité sans histoire. La douleur s'estompe et ma cheville – délivrée de son carcan de liane et de bois – reprend sa forme originelle. Toujours au sol, je fais des ronds et autres mouvements en l'air pour réactiver les muscles et étirer les tendons. Cela, pendant deux autres jours. Un peu plus tard, je rampe dans les parages et trouve une belle branche qui une fois bien moulée me servira de béquille.

Jrs 198 à 200

Derniers jours de rééducation puis, comme un symbole, au matin du 200e jour, je reprends la marche en avant. Ou peut-être devrais-je dire le boitement car je porte toujours mon attelle et repose encore tout mon poids sur la béquille. C'est épuisant mais l'essentiel est de reprendre le rythme, peu importe l'allure, changer un peu de décor. Le soir venu, je pourrai quasiment me retourner et retrouver d'un coup d'œil mon campement de la veille tant je n'ai pas avancé de la journée. Bivouac, feu, dernières bananes flambées. Je croasse toute la nuit avec un sublime perroquet aux longues plumes rouge et bleu qui me répond du haut de sa branche. La sympathie est une langue universelle. Qu'il est beau son plumage éclairé comme ça par la blancheur de la lune et le jaunâtre de mes flammes.

Jours 201 à 210 : 7 mois

Hier, j'abandonnai ma béquille au feu pour me retrouver sur mes deux pieds, la cheville droite maintenue par une chevillière en peau de bête. J'avance presque normalement, d'ici trois jours, je serai totalement guéri et prêt à chasser le gibier. Entre temps, je me contente de proies immobiles, à savoir des fruits. 7e mois d'errance.

Jours 211 à 230

Ça y est, je marche, j'enjambe, j'escalade, je cours et crapahute à nouveau la jungle et ses obstacles. La chasse reprend, je suis affamé, primitif. Au menu : python, sanglier, singe… J'en extirpe jusqu'à la substantifique moelle. Ça ravigote. Je suis affamé, la soif du vampire après des siècles de disette.

Rapetissant à vue d'œil, la végétation est en pleine mutation, le souffle de l'air change, la brise est fraîche, élancée, vivace. Je le sens, l'appel du grand large. Ce sont les portes de la jungle qui se referment d'échelon en échelon dans mon dos, moins dense, moins sauvage, moins folle, moins géante… Mère Nature s'assagit, je quitte son atelier d'artiste pour y trouver un paysage comme qui dirait plus conforme au genre humain. Un premier cocotier ici, puis un autre plus loin, un banc de sable ici, puis un autre encore plus large là-bas. Quelques kilomètres supplémentaires de cohabitation jungle – tropique puis… Lorsqu'arrivé au cœur d'une pleine forêt de palmiers, cocotiers et autres feuillus exotiques, je me décide à continuer ma route en foulant de mes pieds nus un fin parterre de sable blanc. Ah les tropiques, enfin, j'y suis.

Jours 231 à 233

Je suis un cours d'eau salée s'élargissant et s'approfondissant de plus en plus au fur et à mesure que j'avance vers l'océan. Noix de coco, goyave, mangue, papaye… Le gibier se trouve dans les airs et mon organisme fait le plein en sucre et vitamines. Difficile néanmoins de grimper à un arbre lisse et sans branches. Un bon lancé de hache et le tour est joué – sous réserve de bien réceptionner les fruits avant qu'ils ne s'écrasent au sol. Des nuages de pluie me survolent puis s'éloignent. Alors que je me demandais où trouver de l'eau douce, et avec l'eau des cocos en prime, me voilà bien fourni. Allez hop remplissage de gourde au goutte à goutte. Cette sensation de réhydratation du corps en état de sécheresse est un indescriptible et véritable retour aux essentiels de la vie.

Jours 232 à 235

Ce n'était qu'un petit ruisseau mais c'est à présent un bras de mer – 4 à 5 mètres de largeur – que je longe en zigzag depuis quelques jours, comme une embouchure laissant s'infiltrer un pur parfum d'air marin. Les embruns, j'approche du but. Quel endroit, le sable blanc, le silence, la petite rivière de mer et ses bordures de cocotiers qui penchent et s'y miroitent tels des narcisses au-dessus des flots… Le soir, feu de broussailles et de bois flotté, noix de coco, dodo aux abords du chenal. Marche et cueillette tout le jour.

Jour 236

Le soleil est bas, il est tard mais cette fois-ci c'est bon ! Plus besoin de tour de guet ni de jumelles pour le débusquer hors du grand foutoir vert, l'océan se montre enfin à court horizon. Plus de virages, plus de zigzags, l'embouchure m'y mènera tout droit dès demain à l'aube.

Jour 237

Pouah impossible de dormir avec toute cette écume qui tourbillonne dans ma tête. Si près du but l'impatience fait rage. Satané caprice à quoi bon attendre. Après avoir veillé quelques heures auprès des dernières rides de mon feu de camp, je craque rassemble mes affaires et prends la route. 3 h 15, c'est la nuit noire, la Lune éclaire d'autres rivages que le mien.

2 h de marche sous les lueurs rougeâtres de ma torche qui – perçant jusque-là l'obscurité d'un petit mètre – s'en alla rapidement mourir à petites braises me laissant alors sans repères. Sous l'emprise du démon de l'impatience, j'avance malgré tout à l'aveugle mes bras palpant la pénombre en attendant le lever du jour. Ah si je pouvais prématurément réveiller l'Est d'un coup de seau d'eau glaciale, je n'aurai sans doute pas hésité mais le cycle des jours s'en chargera mieux que moi. Car à ma gauche lointaine, j'aperçois le noir du ciel s'évader là où s'en va la nuit. La mer attire, la mer aspire, pour toujours le corps des hommes y sera aimanté.

C'est la lumière du soleil qui m'aide à achever mon long voyage du *dévert* à l'oasis. La palmeraie s'arrête en une parfaite ligne droite comme une armée de soldats au garde à vous. Je pénètre la plage s'inclinant légèrement vers la mer et faisant ici force de frontière entre les territoires du terrestre et de l'aquatique. Devant moi, le grand bleu qui s'étale imperceptiblement. Je reste un instant assis là, dans le sable, à vider mon lourd baluchon de pensées, les laissant s'échapper une à une où bon leur semble, jusqu'à ne plus vraiment réfléchir du tout. L'hypnose des flots mesdames et messieurs, encore faut-il pouvoir en sortir. Je resterai encore coincé des heures dans ce corps liquide en perpétuel mouvement variant de l'extrême bleu à l'extrême blanc avec en arrière-pensée, la digestion de mon long voyage.

Baignade, purification du corps. Petit-déjeuner à la coco sous toutes ses formes (tranches, miettes, jus), installation provisoire d'un camp à l'orée du bois, puis brève exploration des environs.

Océan

Coupée en deux par le bras de mer s'enfonçant au cœur de la forêt tropicale, la plage s'étend de part et d'autre sur 5 à 6 kilomètres. Aux deux extrémités, d'amples blocs de pierres amoncelées fleurissent au soleil et cachent derrière eux une densité immense de palmiers, cocotiers, autres grandes pousses et pitons rocheux. Certains s'élèvent au-dessus de l'eau en formant un archipel de rocailles essentiellement peuplées d'oiseaux marins et d'arbrisseaux. On dirait l'île du Crâne, le lieu idéal pour y établir mon nouveau campement.

En le fixant attentivement de profil, l'amoncellement de roches à l'extrémité droite de la plage prend la forme d'une femme endormie sur le côté. Elle fut comme pétrifiée, ou presque sculptée par je ne sais qui. Le visage que l'on pourrait imaginer rêveur n'est dévoilé que de moitié ou tout entièrement selon le fil des marées, le reste du corps s'étend puis s'échappe à travers la forêt de palmes. Pour n'observer aucune faille, aucun raccord de forme entre chaque roche, une continuité parfaite du visage et du corps, il faut se placer dans un angle bien précis sur la grève, alors je délimite d'un tas de galets ce point de vue très spécial. Le soleil s'élève depuis la jungle et se couche dans l'océan, des éclairs percent les nuages, martopiquent les flots, se figent en une fraction d'étonnement, sombrent en fantômes. Pluie braillante.

Jours 237 à 252

Je passerai les 10 prochains jours à construire une bicoque au pied des roches situées à l'extrémité droite de la plage (ou devrais-je dire aux pieds des roches de la déesse pétrifiée).

Abatage de quatre cocotiers à la hache, une fois fendus, les troncs serviront de poutres et poteaux, les branchages pour couvrir le toit et les murs, les cocos pour mes prochains repas. J'accroche les poutres entre elles avec des sangles de peau de bête et ficelles d'écorces tissées. En ratissant la lisière, je trouve toutes sortes de troncs et branchages morts, le bois ramolli est facilement exploitable pour concevoir toute sorte de mobilier et farcir le feu du soir. Je délimite la surface de ma bicoque en creusant dans le sable un rectangle plat de 40 cm de profondeur et de 3 mètres sur 4. J'y plante solidement 7 troncs à la verticale pour soutenir la charpente composée de 4 poutres porteuses d'une dizaine de traverses. Je place par la suite des galets tout le long des murs pour contenir les éboulis de sable et recouvre le sol d'une triple couche de branche de palmiers qui fera office de plancher végétal. Je couvre les murs et le toit de la même triple couche de branches de palmiers nouées les unes entre elles. Un rideau d'assortiment de fourrures en guise de porte d'entrée. D'extérieur, ma bicoque ressemble à un gros hérisson en boule dont les épines vertes jauniront au fil du temps.

À l'intérieur, un petit donjon de galets abritera le feu au centre de la pièce. Un stock de bois au fond à droite, et au fond à gauche, ma paillasse de fourrure surélevée de 40 cm au-dessus du sol par un sommier de bois. Mes affaires sont accrochées aux poutres de la bicoque surplombant ma paillasse. Le matin, je suis éveillé par de longues stries de lumières poussiéreuses ayant trouvé sentier au travers de mes murs végétaux, il y en a tellement qu'ils s'entrecoupent les uns les autres comme les rayons laser d'une chambre forte. Je suis donc ici à l'abri, moi petite dernière graine de l'espèce humaine. En poussant la réflexion depuis cette perspective, je comprends qu'à des fins de conservation de ma race, mon sommeil soit maintenu sous bonne garde jusqu'à nouvel ordre.

Le bois ne vient pas à manquer mais j'essaye d'en abattre le moins possible. Sans outil parfaitement adapté, la tâche est rendue bien plus longue, répétitive et fatigante mais les travaux avancent bien malgré tout. Je travaille en ce moment à la confection d'une table sur laquelle je pourrai écrire et manger, j'ai déjà le tabouret en la chose d'un tronc d'arbre enlacé de fourrures.

Mon régime alimentaire se limite à des fruits exotiques, du poisson les jours de pêche heureuse ou encore toutes sortes de fruits et légumes de mer tels que des algues ou des palourdes qui s'échouent par dizaine sur la plage tous les matins. La digestion est bonne, après m'être nourri de tous les aliments de la jungle, j'ai l'estomac prêt à déguster n'importe quoi. En parcourant les rocheuses, j'ai découvert vidé et lavé un puits d'eau poreuse qui se remplira de pluie et me fournira en eau douce à moitié tiède et à l'arrière-goût salé. En déambulant sur la plage après une journée bien remplie, je ramasse deux énormes coquillages vides, les plaques contre mes oreilles pour en écouter l'écho incessant et contempler la mer devenue momentanément muette. « wuuuuuuuiiiu […] uuuuuu » nouvelle hypnose des flots.

Jours 253 à 260

2 jours de repos une fois la bicoque terminée. Ma table est prête à l'emploi. J'entame la deuxième phase d'installation en élaborant un bassin de pêche en forme de U, une porte d'entrée comme de sortie laissant une chance aux poissons de s'en sortir. Un coin feu juste devant la bicoque, un banc, un parasol et un tendeur pour faire fumer puis sécher les trop abondants stocks de poissons ou de fruits.

Je passe mes fins de journées perché sur mon poste d'observation situé sur les rocheuses. Scrutant l'horizon aux jumelles à la recherche de je ne sais quel espoir, chose ou événement anormal pouvant survenir du ciel ou de l'océan. À l'heure du couchant, je termine ma reconnaissance d'un saut en bouteille depuis le haut du crâne de la déesse. Chute libre de 4 à 5 mètres selon le niveau de la marée puis retour au camp de base à la nage pour le dîner. La pêche n'est pas toujours miraculeuse mais à marée descendante, armé de patience et des restes de la veille en appâts, je parviens à embrocher toute sorte de chair (mérous, dorades et crabes).

Mon confort terrestre bien établi, il ne me reste plus qu'à me dégoter une embarcation pour sillonner les côtes environnantes. Aux bons souvenirs de ma pirogue des premiers jours j'élabore dans ma tête les plans rudimentaires d'un radeau léger.

Jours 261 à 270

En utilisant les restes de mon stock de bois, je parviens à confectionner un authentique radeau de naufragé. Rien de plus classique, le prototype est de forme plutôt rectangulaire et mesure 2X1 mètres tout au plus. Toute la nuit, je me taille une longue pagaie dans un tronc à la chair encore assez coriace m'endors au coin du feu à la belle étoile et la termine à mon réveil.

Maintenant que tout est prêt, j'embarque pour un premier test de flottaison et – si celle-ci le permet – de navigation. La croisière dure jusqu'en fin de matinée, sillonnant la plage de long en large, je rame recroquevillé sur mes jambes et tombe à l'eau à plusieurs reprises en essayant de tenir debout. L'engin n'est pas très stable, il est relativement lourd et – râpant sur l'eau – se trouve difficilement manœuvrable. L'importance n'est pas là, il flotte sous mon poids et je n'ai jamais espéré rien de plus que cela.

En fin de journée, j'observe le défilé d'une armée de nuages glissant sur les rails des vents marins, ils passent en l'espace d'une quinzaine de minutes d'un éclat rose pourpre à la froideur du mauve puis du gris au fur et à mesure que le soleil se noie dans l'horizon. Alors je ranime les braises de mon feu du midi et en fais jaillir les flammes qui s'en iront d'abord chasser les mystères de la nuit avant d'y périr à jamais. La fournaise, dernier bastion de lumière résistant aux forces de l'imperceptible. La fournaise, ma plus grande alliée.

Jours 261 à 270

Exploration des côtes, la forêt exotique s'étend du nord au sud à perte de vue, laissant par endroits et ailleurs terrain libre à une petite crique clôturée de roches. Des tortues viennent y pondre leurs œufs, des piafs roucoulent. La jungle, ses cols et ses vallées surplombent mon paradis depuis le lointain. Quelque part dans ce grand bush une famille de panthères fait meute. En m'éloignant un peu plus au large, l'eau est toujours aussi claire, je distingue à l'œil nu le fond sablonneux atteignant facilement les 8 mètres de profondeur. Une barrière de corail ceinture la baie sur toute sa longueur, c'est une immense métropole sous-marine que je survole en rase-mottes sur mon petit radeau. En plongeant mes jumelles à l'envers et à fleur d'eau, je gagne en clarté mais tout paraît si petit et éloigné que j'oublie vite cette idée. Le corail héberge toute une communauté de poissons et crustacés se partageant nourriture et lieux de vie subaquatique. Pas de mouvement de panique à la vue de mon vaisseau extra-océanique, le microcosme demeure imperturbable, chacun poursuit son activité d'intérêt général et je laisse alors la peuplade aux mille couleurs prospérer en pleine harmonie au cœur de son grand aquarium. Rien d'autre à signaler, même pas de requin, je termine ma reconnaissance en faisant cap vers mon bassin de pêche. Le soir, après avoir mangé deux poissons bien frais, je grave au couteau toutes sortes de sigles tribaux sur ma pagaie.

Je passe les deux prochains jours à creuser la pulpe d'un bout de tronc d'arbre d'environ 70 cm de diamètre. Une fois devenue cylindre, j'en lisse les parois intérieures du mieux que je peux et fixe une peau de bête hypertendue en l'un de ses bouts.

« BOUUM… Doum… Bouboum… » Voilà, j'en rêvais depuis longtemps, un tambour, un djembé… Fin prêt pour ensorceler mes soirées solitaires. Le soir même, j'engloutis une poêlée de fruits flambés et enfourche le djembé pour y faire jaillir des sonorités endiablées. Le son est lourd, le son est rauque, tout ce dont j'ai besoin. La peau résiste bien aux gifles de mes mains et – à en croire mes sensations – son écho résonne depuis mon abdomen jusqu'en de lointains kilomètres. C'est mystique. Je tambourinerai ainsi pendant des heures l'esprit totalement enivré par ce vacarme nocturne me faisant de temps à autre virevolter des cris d'homme fou, de loup des sables.

Journées bulle, vagabonde sous les cocotiers, sur la roche, dans ou au-dessus de l'eau… Instant zen.

Jours 271 à 291

Les jours se suivront et se ressembleront comme des clones, le soleil prend son quart vers 8 h et la nuit le relève entre 21 et 22 h, une pluie fine me douche deux à trois fois par jour, un orage lointain me foudroie les yeux, le vent souffle calmement sans jamais trop forcer. En pleine nuit, la température chute d'un coup me faisant frissonner une bonne heure puis retourne promptement à la normale. En une journée, les 4 saisons se succèdent les unes aux autres. J'améliore et décore mes installations dès qu'une idée nouvelle me vient en tête. Le bassin, les arbres fruitiers et mon puits subviennent pleinement à mes besoins en nourriture et eau. J'ai même d'ores et déjà mis de côté un petit stock de poisson séché.

Le soir, pour m'occuper l'esprit, je me remémore les récits des héros littéraires de ma vie d'antan pour en relire les histoires. Ce ne sont d'abord que des bribes, mais en fouillant bien, les mots et les images me reviennent un(e) à un(e) comme les pièces d'un puzzle poussiéreux. D'autres soirs, je ressasse simplement mon enfance heureuse puis ma drôle adolescence, mes rebellions, mes frustrations, mes obsessions, mes rêves brisés et enfin une vue globale des petites décennies qui s'empilent. Famille, amis, amourettes, amoureuses… Vous êtes *cellulées* dans mes cellules.

Je repense à tous ces moments mémorables, bons ou mauvais, légués pour toujours au passé, en parfaite soumission aux lois de l'écoulement de l'instant. Du « rien ne sera à jamais figé ». Ces moments qui atterrissent à la fois dans les bribes de mémoires, l'évolution du soi et le terrible oubli. Ces moments que je n'aurai jamais voulu voir finir, ils sont comme jetés au dehors du wagon de la vie. Alors lorsque la nostalgie s'invite au voyage, il faut s'adosser à la fenêtre, tourner le dos à la trajectoire battante, sortir ses jumelles de mémoire et chercher quelque part sur le bas-côté lointain, les quelques restes encore vivants de ces instants abandonnés. Ces réminiscences qui pourtant si précieuses, s'estompent à mesure que la vie s'absorbe.

Alors que je commençais à ressentir le sentiment de paix qu'une douce routine installait confortablement dans mon quotidien, le matin du 287e jour remit tout cela à plus tard. Sortant tout juste d'un long sommeil sous l'écho des vagues, et me dirigeant au dehors de la bicoque pour le petit-déjeuner, je découvrais Lula accompagnée de ses « petits ». Calmes comme la pierre, tous allongés là autour de mon campement extérieur. Le cadavre – encore plutôt frais – d'un gros cochon noir attend son sort devant les cendres de mon feu de la veille. Elles sont arrivées là dans la nuit, à pas de panthère, attendant sagement devant ma bicoque fumante que je me réveille. Elles auraient pu me dévorer tout cru que je n'aurais pas même ouvert l'œil. Les traces de pattes et de traînage de carcasse indiquent qu'elles viennent du bras de mer s'enfonçant en direction de la jungle.

« OK Lula j'ai compris, ma tambouille d'homme du feu t'a bien manqué », lui dis-je à voix haute en m'approchant du groupe le sourire aux lèvres et les larmes aux yeux. Les retrouvailles sont heureuses, chacun me renifle et moi je caresse. J'invite ensuite la petite famille à visiter mes appartements. En ressortant, Apaloosa, Choctaw et Cherokee me font comprendre en s'agglutinant autour du pauvre cochon qu'il est grand temps de cuisiner. Ainsi, je dépèce l'animal et le mets à rôtir au-dessus du feu sous le regard rapace des trois petits félins. Les

« panthéreaux » sont en pleine croissance et doivent avoir un appétit d'ogre alors je sors et épuise mon stock de poisson séché pour l'apéritif. Lula est toujours aussi friande de fruits. Cela faisait bien trois mois, trois mois que nous nous étions séparés. Retrouver ma trace après une si longue absence n'aura pas été une mince affaire. Mais j'imagine que cet exercice pratique faisait partie intégrante de leur programme de SVS voire même d'examen de passage en étude supérieure. Le repas avalé, nous restons un instant à digérer au soleil puis faisons un long tour des environs et le terminons sur les rochers en quête du repas du soir. Lula saute la tête la première pour croquer tout ce qui bouge dans l'eau, les panthéreaux suivent l'exemple répétant la manœuvre une cinquantaine de fois. Le terrain de chasse est différent et c'est un tout autre gibier auquel ils ont affaire, les premiers sauts sont vains mais ils prennent vite la technique et la pêche se termine sur deux douzaines de prises. Quelle torpeur pour nos victimes d'avoir pour dernier flash une Apaloosa, un Choctaw ou un Cherokee leur fondre dessus depuis l'espace terrestre. Leur vélocité abrégeant toute souffrance, ce n'est que l'inlassable histoire de l'évolution qui s'enchaîne. Le soir venu, je fais griller le tout et partage les victuailles en fonction de l'appétit de chacun. Seulement, une fois le repas terminé, les petits ne sont pas assez rassasiés et retournent au poste de pêche pour ramener de nouvelles prises que je mets immédiatement à cuire. Nous terminons la soirée sur quelques notes de tam-tam puis nous couchons tous ensemble dans la bicoque où il fait bon vivre. 3 jours passent, les félins raffolent de la pêche et deviennent d'excellents nageurs.

Le matin du 4e jour Lula fait signe qu'il est temps de repartir au bercail. Je les raccompagne à travers la forêt de palmiers sur plusieurs kilomètres jusqu'à entrevoir les tout premiers rudiments de jungle. À ce moment-là, Lula m'envoie un regard qui veut de nouveau dire « à bientôt » pour ensuite prendre la tête de sa petite fratrie. À mon tour de les regarder s'effacer un à une dans les entrailles du grand vert, les panthères s'éloignent à grandes enjambées et je les perds rapidement de vu. Je retourne au campement tête baissée sous l'emprise d'un sacré coup de blues. J'ai l'impression de rentrer d'un long week-end passé entre amis, retour à la vie normale, retour à la solitude loin des éclats de rire et des embrassades... Bah, ça ne pouvait pas durer éternellement, l'océan n'est pas l'habitat naturel des félins.

Un bon stock de poisson m'attend au coin du feu, il faut les faire sécher, voilà qui m'occupera l'esprit.

Jours 292 à 300

Retour à la vie normale. Stock de poisson séché et remisé. Pêche, repos, vagabondages. Le matin du 300e jour, je pars à la recherche d'un tronc d'arbre à ne pas abattre et en trouve un fraîchement tombé au sol que je ramène au campement sur quelques centaines de mètres. Le morceau mesure 3,50 mètres et pèse bien son poids. Nous atteignons le campement en milieu d'après-midi. Par la suite, je creuse un trou de cinquante centimètres à quelques pas de la bicoque, dépèce le tronc, le plante et rebouche le trou avec des pieux, du sable et des galets. J'inaugure aujourd'hui, mon arbre calendaire. Tout en bas, j'y grave « 300 J » et la suite est simple. Comme tous les taulards, bagnards, parias et naufragés qu'a connus l'histoire jusqu'ici, j'y inscrirais un petit bâton vertical pour chaque jour passé dans ma prison aux barreaux de cocotiers, un bâton horizontal pour achever la semaine et ainsi de suite. Mon calendrier ressemble à un dolmen de l'âge du bois ou même un totem minimaliste à l'effigie du grand esprit. Il fera également une excellente aiguille de cadran solaire après étude approfondie de la course du soleil. 300 jours passés dans ces contrées intrépides et toujours en vie. Il fallait bien fêter ça et je passe le reste de la journée à préparer mon banquet du soir : fruits, purée de fruits, grillade, tam-tam et cris d'homme-loup. Nuit blanche, les pensées m'assaillent. Je ne me suis jamais senti aussi loin de tout, comme ayant dépassé de loin la frontière des points cardinaux. Certes, j'ai le mal du pays, de la patrie et du vieux monde mais au fond, c'est ici et derrière moi que j'ai fini par trouver la liberté pure. Ou du moins le bout de piste de l'un de ses plus longs segments, sans attaches ni enclume, sans loyer ni factures. Il y a des méandres invincibles dans lesquelles il faut savoir se perdre et d'autres qu'il ne faudra jamais fuir. C'est l'attraction des centrifuges, l'apesanteur temporaire des gouffres.

Ma peau mute, elle brunit sous le soleil, cheveux et poils blondissent, crépissent. Restants pâles et blanchâtres, les traits de mes cicatrices deviennent de véritables encoches omniprésentes sur tout mon corps. Comme des souvenirs tatoués, à chaque coup d'œil elles me re-racontent leurs histoires et j'en ris.

Jour 301

Tant que la pêche sera bonne, que le soleil se montrera à l'horizon et que la pluie coulera ses torrents sur la roche, j'ai bien le sentiment que plus rien ne pourra venir perturber ma retraite d'aventurier. Un long repos s'impose. Oui mais après ? Je ne sais pas, me reposer, je n'ai que ça en tête. Laisse-moi rêver un temps et je me réveillerai avec des idées nouvelles. Prendre la mer ? Oui, j'y pense, mais avant je l'observe. Et il ne se passe pas une semaine au large sans coup de semonce.

Mes jours sombreront bientôt dans le plus simplet des quotidiens, ils se banaliseront, et alors je n'aurai plus rien à raconter. Face à cette évidence, cher journal, et pour ne pas trop t'ennuyer, j'ai décidé de me retirer un peu et de ne revenir que pour te raconter de véritables faits divers, notes mensuelles, ou simple signe de vie à date. Et qui plus est cher compagnon, tes pages vierges se raréfient alors je préfère les sauvegarder pour je ne sais quel prochain récit qui en vaudra la peine.

Ainsi s'achève mon odyssée aux aurores de l'*Agriacène*. Au moment où j'écris ces lignes, la mer descend et le soleil s'y reflète en un millier d'astres mouvants, dans un instant je partirai pêcher, l'esprit libre et l'avenir rebelle...

Plénitude

Jours 365 et 366

Ça y est, une année s'est écoulée, anniversaire surréaliste, j'ai un an. Dingue. J'ai passé une partie d'après-midi à ramasser toute sorte de bois pour ma bougie d'anniversaire, l'autre partie à préparer le banquet. J'avais gardé une poignée de racines hallucinogènes de nos *périplétiés jungliennes* et j'en avale une petite botte pour l'occasion. Le moment est parfaitement trouvé. Une fois le soleil couché, j'embrase mon feu de joie et entonne mon chant d'anniversaire sur le rythme du tam-tam. La flamme monte si haut dans le ciel, elle est ma bannière, mon oriflamme, ma ziggourat de feu, la flamme de Babel. Les racines font effet, j'en ingurgite d'autres, en parsème des miettes sur le banquet comme si c'était des herbes aromatiques. Alors voilà, des couleurs inouïes apparaissent, des formes et des silhouettes fantomatiques, la morphologie des flammes et encore une fois, les traces de passage du vent… Le trip est maîtrisé cette fois-ci, il est doux. À vrai dire, au début je me dis intérieurement « à quoi bon tout cela, à quoi bon tout cet excentrisme ? Fêter son anniversaire seul sur une plage paradisiaque, c'est de la folie Tommy ». Je chasse vite de ma tête ce raisonnement d'homme qui réfléchit trop et retourne à mes instincts premiers pour tambouriner encore plus fort. Hurler un mélange de courroux et de joie, hurler tout court.

Habité d'une réelle folie cette fois-ci, je quitte mon instrument en milieu de soirée et m'éloigne d'une dizaine de pas vers la mer qui reflète la Lune. La stature immobile, c'est mon cœur qui tam-tam à présent, je respire en profondeur jetant un regard fixe sur mon feu chamanique comme s'il s'agissait d'un adversaire de duel. Je la sens, cette énergie qui me foudroie en tous membres, oui je la sens bouillir dans mon sang, j'ai les tempes qui frétillent, tout en moi veut y aller, tout en moi veut s'engloutir dans cet immense brasier comme pour y traverser les portes d'une nouvelle dimension. Maintenant, c'est mon bras qui s'élève et mon index qui pointe les flammes comme pour m'indiquer la marche à suivre. Alors c'est bon, je fonce. En quatre foulées, j'atteins la fournaise et m'élance au-dessus pour en traverser les flammes d'un saut furtif et les yeux grands ouverts.

En y repensant, ma bougie d'anniversaire devait être visible à des kilomètres à la ronde mais qui d'autre que moi aurait bien pu en apprécier le spectacle ? Quelques brûlures, je passe le lendemain dans l'eau à masser mes plaies qui laisseront certainement des traces. En passant ma main sur le visage, je constate que mes cils ont disparu, ils ont grillé. Et pourtant, la traversée des flammes n'aura duré qu'1/2 seconde. Me voilà baptisé par le sceau du culte de l'instinct. Et ces flammes, jamais je ne les aurais observées d'aussi près. Immuablement encastrée en mon encéphale, je n'oublierai jamais cette soirée au coin du feu de mes heures gagnées. Elle est comme marquée au fer rouge des affranchis cathartiques.

Cadran solaire OK. Quatre compartiments pour quatre plages horaires (6 h – 10 h, 10 h – 14 h, 14 h – 18 h, 18 h – 22 h).

Gadget. Pêche à l'arc en ficelle d'écorce. Plus vif et plus efficace que le javelot mais adresse perfectible. Confection de statuettes en bois : Lula et ses petits, des bisons, des fennecs, des singes, des arbres de la jungle, ma pirogue, moi… Plantation d'un parasol en branches de cocotier. Installation gouvernail, petit mât et voile en fourrures sur le radeau, me permet d'aller plus loin à moindre effort. J'épie la mer sous ses moindres humeurs dans l'idée d'un jour la parcourir à bord d'un petit rafiot. Il y a des jets de baleines au loin. Repos du corps et de l'âme. Repas du corps et de l'âme. Je vais bien.

Année 1, mois 1

Expédition de chasse dans la jungle, 10 jours de marche, installation bivouac, cri de ralliement. Immédiatement rejoint par Lula qui rôdait déjà dans les parages et reconnaît décidément mon odeur parmi tant d'autres. Les petits nous retrouvent un à un provenant des quatre coins de la forêt. Ils sont adultes à présent et Maman les a bien éduqués. Chassons toute sorte de gibier pendant 5 jours, soirées peinards, rois et reines de la jungle. Partage d'affection, instant magique. Retour au campement avec une cargaison d'énergie positive et de viande séchée, RAS, rien n'a bougé. Mets à jour le calendrier.

Année 1, mois 4

Cyclone. Un matin, le vent s'est subitement levé entraînant l'océan avec lui dans sa fougue. Le premier jour, je profite inconsciemment du vacarme et passe la journée à m'amuser dans le roulement des vagues sans me soucier du lendemain. La plage devient un paradis du surf pour le temps d'une journée alors je profite, des dauphins s'invitent à la fête et la déesse pétrifiée se fait maquiller de mousse. Mais dans la nuit, des rafales d'une force extrême couchent littéralement ma bicoque au sol. Je n'ai pas le temps de sortir du lit qu'une poutre m'assomme dans sa chute. Je me réveille en milieu de matinée, enseveli sous les décombres, une sacrée bosse sur le front, des phosphènes plein la vue et totalement étourdi par le choc de la veille. Le vent crache encore ses lourdes rafales qui me plaquent au sol le temps de reprendre mes esprits et de me désembourber. La plage ressemble à un champ de bataille, l'océan est furieux, il s'écrase en kamikaze contre la roche, projette son écume jusque dans les feuilles de palmiers, mon campement est ravagé, le sable en lévitation. Des poissons sont éjectés des flots et se débatte corps et âmes sur la plage pour rester en vie. Derrière, les cocotiers se tordent dans tous les sens, certains perdent racine d'autres suivent la danse du vent comme ils le peuvent, en se tordant les chevilles. Des glaires de sable et de mousse salée circulent à foison dans l'air, m'atterrissent dessus, m'aveuglent. Rien ne sert de lutter alors, je rassemble mes affaires éparpillées un peu partout alentour et m'enfonce le plus loin possible dans la palmeraie là où le vent tarde un peu plus à rugir. Il faut éviter les chutes de coco, de branchages, de troncs et d'oiseaux en plein crash. Loin du chaos, je creuse une petite tranchée derrière un roc et m'y abrite. J'ai pu sauver mes effets personnels et mes dernières rations de viande séchée. Une croûte de sable recouvre ma peau et mes orifices, j'en recrache, en éternue, en pleure. Le cyclone soufflera deux jours durant, alors je resterai là dans ma tranchée, comme un poilu attendant la fin de la mitraille.

Le calme retrouvé, je retourne au camp de base pour l'état des lieux. Tout est à refaire, la bicoque, le barrage, l'extérieur... Rien de cassé cela dit, je pourrai tout reconstruire à l'identique avec les mêmes matériaux voir en profiter pour apporter des améliorations au QG.

Triste scène, le cadavre d'un cachalot s'est échoué côté gauche de la plage. Pas de blessure apparente, les baleiniers n'ont donc toujours pas ressuscité sur cette terre. Cause de la mort ? Ouragan, cyclone, vieillesse, sortie de route. Le spécimen mesure bien 15 mètres de long, il est gigantesque. J'en découpe des morceaux de chair à la hâte avant que les rapaces ne la transforment en piètres lambeaux. Par la suite, me frayant un chemin à l'intérieur de la carcasse, j'en extrais une sorte de graisse blanche bien huileuse et compacte qui pourra à l'avenir me servir de combustible pour torches, lampe à huile ou autre. Odeur infâme.

Passe la semaine à tout remettre en état. Le campement est reconstruit à l'identique mais sur des bases plus solides cette fois-ci. Il ne résistera pas au prochain cyclone pour autant. Mets à jour le calendrier solaire. Les volatiles vident le cachalot de sa chair jour après jour, tournoyants incessamment autour de la carcasse, ils forment à eux tous un drôle de nuage à la couleur noire et blanche. En promenant mon regard du Sud vers le Nord, j'aperçois au loin d'autres nuages semblables à celui-ci, tous en forme de tornade. Une fois le cachalot totalement dépecé, je m'occuperai du squelette. Il faudra d'abord le démembrer à la hache puis le ramener au campement morceau par morceau. J'enterrerai de ¾ la cage thoracique qui servira de base solide pour mon futur cellier et a fortiori de bunker anticyclone, le dessus du crâne prend la forme d'une assise confortable, je m'en servirai donc comme tel. Aucune idée de quoi faire des vertèbres, des nageoires ou encore de la mâchoire. La vie reprend doucement son cours et je retourne à mes occupations.

Année 1, mois 7

Cyclone bien digéré, vite oublié. Pêche, cachalot fumé, exercices physiques, expéditions en mer, découpe du squelette.

Cellier OK, 15 mètres derrière la bicoque à l'orée de la palmeraie, 1m50 de profondeur, dépasse de 30 cm au-dessus du sol, une micro fenêtre en direction de la mer, toit solide, résistera tant bien que mal au prochain cyclone. À chaque visite, j'ai l'impression de venir me servir en provisions dans les boyaux – bien arrangés – d'un gros cachalot. La bicoque et le cellier sont reliés par un tunnel de liaison creusé et charpenté par mes soins à deux mètres sous le sol, simple à utiliser en cas d'urgence météo. Chaise longue OK, le dessus du crâne de l'animal a une bonne forme pour y poser son dos, son long nez parfait pour y tendre les jambes. La mâchoire orne ma tête de lit à la verticale, ce n'est pas un attrape-rêve mais plutôt un dévoreur de cauchemars. Faute de plus utile, chaque vertèbre a été placée dans le sable de façon à délimiter un terrain de jeu pour le saut en longueur et le lancer de galet. Nouvelles statuettes en bois : caïmans, dauphins, perroquet, cachalot, tipi.

Année 1, mois 10

Toujours là. Songe à des plans de navire. Compliqué avec les moyens du bord. Coque, voile, dérive, gouvernail… La liste est longue. Réflexions. Rien à l'horizon.

Visite de Lula, les jeunes arrivent deux jours plus tard du gibier plein les crocs. Restons ensemble une semaine. Expédition de deux jours au sud du campement. Découverte d'une presqu'île, y passons la nuit, enfermés par les eaux montantes. Bonheur régénérant, dépaysement prolongé.

Débute la construction du navire.

Année 2, mois 0

Fête mes 2 ans dans la jungle avec Lula, Apaloosa, Choctaw et Cherokee. Grande chasse, grande joie, grand festin, grand feu. Retour à la maison avec des poils de fauves pleins les cheveux, des souvenirs pleins la tête.

Année 2, mois 2

Chantier naval assez limité, cela prendra peut-être des années mais je finirai bel et bien par prendre la mer. J'ai les plans en tête, ce sera un drakkar. Un radeau ne me mènera nul part ailleurs qu'au débarras des abysses tandis ce qu'avec un drakkar... Je serai insubmersible aux assauts de la mer, il sera briseur de lames. Alors patience ça viendra et puis si cela implique ma fin, et bien Tommy tant pis, ce sera beau. Se saborder à la mer, et si c'était ça la délivrance ? Et si c'était ça une fin heureuse ? Une fin de brave. Et toi cher journal, tu seras lu par des poissons.

Autochtone

Date et lieu inconnu

Les deux scaphandres avaient une apparence humaine, du moins bipède. Je travaillais sur mon rafiot en devenir lorsque je les ai vus simultanément sortir de l'eau. Un peu comme des hommes en armure, ils étincelaient face à la lumière du soleil et cela amplifiait ma sensation de choc face à ces d(i)eux aliens. Pacifiques ou hostiles ? Je me souviens les avoir salués en faisant signe de la main tout en dissimulant mon coutelas dans mon dos. En réponse, ils restèrent immobiles à me toiser et ensuite de ça fut le trou noir. Voilà, c'est tout ce dont je me souviens. Eux, les étincelles, un flash, les limbes.

Réveil fourbu entre quatre murs de cuivre, ils m'ont allongé sur une paillasse, mon journal, mes affaires, tout est là sauf mes armes. Évidemment. Une gamelle remplie de ce qui pourrait ressembler à des légumes, de l'eau, une porte close, pas de fenêtres, des toilettes (des toilettes !), la pièce fait 2 mètres sur 3. Quelle heure est-il, est-ce le jour ou la nuit, je n'ai pas d'indice. Je suis rasé, propre. Pourquoi m'enferment-ils ? Eux dont j'ignore la nature. La nourriture, l'eau, ma prison, le lit, les scaphandres, tout porte à croire qu'ils sont humanoïdes. Et s'ils étaient cannibales, esclavagistes… Qu'attendent-ils pour se montrer ?

Un temps indéterminé plus tard

Je me réveille toujours dans ma cellule, un nouveau repas fume au milieu de la pièce. Deuxième fois que l'on me sert de la nourriture gratuite d'efforts, il s'agirait de ne pas trop s'y accommoder. Attente. 100 pas du bagnard, pompes.

L'interrogatoire

Lorsque j'entendis la porte se déboulonner, je me levais en sursaut d'une moitié au garde à vous et d'une autre sur le pied de guerre paré à toute éventualité si ce n'est un tel frisson. Une femme, sapiens, humaine ! Brune, de taille moyenne, un visage géniteur d'émotions, une poitrine qui inspire, une poitrine qui expire, des bras et des jambes qui bougent, une bouche qui parle, des yeux qui regardent, des yeux qui jugent, de la grâce… Incontrôlables, mes sanglots déferlèrent en avalanches. Carte blanche émotionnelle. Averse sur mon visage.

« Pardonnez l'intrusion… je… » Elle parut surprise par ma réaction et après une petite pause : « Vous… vous pourrez me rejoindre dans la pièce au fond du couloir lorsque vous aurez retrouvé vos esprits » fit-elle avant de me tourner le dos pour quitter la pièce.

À peine pris-je le temps de remballer mes larmes que je sortais de ma cellule toujours en état de choc mais comme pressé par toutes mes questions voyant leurs réponses s'évader trop vite. Je pénétrais une étroite coursive dont les murs étaient couverts de boulons pour rentrer dix enjambées plus loin dans une magnifique bibliothèque ou l'ancien se mêle au moderne. Un mobilier de bois vernis, des étagères remplies d'ouvrages, des bibelots, des talismans, des armes à feu, des armes blanches, des squelettes non identifiés et par endroits, pousse un parterre de mousse ascensionnant les murs… Un vrai repère d'explorateur.

La femme m'invite à m'asseoir en face d'elle à l'autre bout d'une table ronde. L'entretien qui suivit fut enregistré sur magnétophone, je le retranscris maintenant sur papier depuis mon ancienne cellule devenue quartier :

— Vous vous sentez mieux, Tom ?

— Vous... vous connaissez mon prénom ?

— Permettez-moi de me présenter, Capitaine Saules, je commande l'Autochtone. Et oui, je connais votre prénom – me dit-elle en pointant mon journal de bord que j'avais posé sur la table en m'asseyant.

— Hum... l'Au... l'Autochtone ?

— Vous êtes à son bord.

— À son bord ?

— C'est bien cela, l'Autochtone est un vaisseau d'exploration terrestre, aquatique et spatiale. Vous êtes à son bord.

Voilà qui fut expéditif. Silence. Craquage de cellules. Disjonction de cervelle.

— Tom ? me dit-elle pour s'assurer que j'étais toujours là.

J'avais la voix tremblante, abasourdi, les mains tremblantes, du mal à trouver des mots pour former une phrase. J'étais comme intimidé, sous le choc de ce retour si raide à la confrontation humaine. Mais par sa voix douce et bienveillante, la capitaine me mit à l'aise plus rapidement que je n'aurais pu l'imaginer.

— Capitaine... Saules. Il y a quelques jours encore je... je vivais seul sur une plage déserte avec le sentiment tout particulier d'être le dernier être humain vivant sur la planète et... vous me parlez... rien que ça, ce sont les premiers mots ne sortant pas de ma propre bouche que j'entends depuis peut-être 3 ans et... là maintenant, vous me parlez d'un vaisseau d'exploration dont vous êtes la capitaine ? Je euh… c'est… vous…

— Je comprends votre trouble, vous êtes ici loin de vos repères mais nous avons tout le temps qu'il faut pour nous expliquer. Si cela peut vous éclairer, il s'est écoulé trois jours depuis notre première rencontre sur la plage, nous stationnons à ce moment même où je vous parle à 30 mètres sous la mer et à seulement quelques encablures de votre campement.

— Une… rencontre ? Je vous rappelle que ne sais toujours pas comment j'ai atterri dans ce vaisseau. Il y a eu vous, un flash et je me réveille ici, en cellule.

— Vous avez reçu un tir de dard hypodermique à l'épaule droite, vous avez aussitôt perdu connaissance et nous vous avons recueillis. Je dois dire que nous ne nous attendions pas à rencontrer un homme toujours vivant sur terre.

— Oui drôle d'histoire n'est-ce pas. Épaule droite vous dites ? Je n'ai pourtant rien senti. Forte dose si je ne me suis réveillé qu'hier non ?

— Tom, vous aviez tout l'air d'un primitif sur votre plage et… comprenez bien que nous n'avions aucune idée de comment vous pourriez réagir à notre arrivée sur votre territoire. C'est en lisant votre journal que j'ai compris que nous pourrions avoir un échange civilisé. Avec ce que vous avez vécu, je vous crois capable d'entendre n'importe quelle histoire.

— Bien alors… si vous avez lu mon journal et que ma vie n'est plus un mystère pour vous, peut-être pourriez-vous me raconter la vôtre et m'expliquer ce j'ai à faire ici ?

— C'est bien là mon intention. La raison de votre présence à bord ne relève que d'une simple curiosité de ma part. Sachez aussi que vous n'êtes en aucun cas retenu prisonnier, libre à vous de quitter le navire quand bon vous semblera. Quant à notre histoire, comprenez que malgré le bref résumé que je vais vous en faire, cela risque d'être long alors avant de commencer, peut-être prendriez-vous du thé ?

— Du thé ? J'en aurais sans doute oublié le goût mais un thé serait le bienvenu oui.

— Peut-être n'en avez-vous jamais goûté de tel… Mais peu importe, place au récit ?

— Allez-y.

— L'Autochtone descend d'une lignée lointaine, toute son histoire se trouve ici, dans ces armoires qui nous entourent, chacune couvant le récit d'expéditions terrestres, subaquatiques ou spatiales.

— Il y en a pour une vie de lecture là-dedans.

— Oui… Plusieurs même. Tout remonte au début des années 1930, là où avant de devenir 1er capitaine de l'Autochtone, mon ancêtre – Nathan Saules, archéologue de métier –, passa 20 ans de sa vie sur les traces des anciens peuples Méso-Américains. Cités perdues, temples, sanctuaires, cultures… Vous connaissez sans doute la ferveur exploratrice de l'époque pour les civilisations Mayas, Aztèques, Toltèques, Incas…

— Oui, mon père m'a raconté l'histoire de Nathan Saules. De grandes découvertes mais rapidement porté disparu sans laisser de traces. Comme beaucoup d'autres.

— Vous voilà bien informé. Je poursuis. En 1934, Nathan Saules rencontra sa future femme lors d'une fouille au Yucatàn, une archéologue Hondurienne descendante du peuple de Copàn – Aliz Saules de Aiza. Ils se marièrent l'année suivante en France et au Honduras puis reprirent leurs recherches au Guatemala en 1936. C'est là-bas qu'ils découvrirent lors d'une fouille les gisements d'une roche inconnue ne provenant vraisemblablement pas de ce monde.

— Une eumh… météorite ?

— Ce fut – et ça l'est encore – notre hypothèse la plus solide. Pour preuve, l'escarpement des sols révélait des traces d'impact remontant déjà à l'époque de plusieurs milliers d'années. Mais le plus troublant fut la mine que Nathan et Aliz découvrirent à quelques kilomètres du gisement. Une exploitation minière s'enfonçant droit dans les abymes de la terre. Tout porte à croire que ce minerai fut exploité par une civilisation bien antérieure à la nôtre. De celle-ci, il ne reste presque rien à part une cité en ruine, des temples, des observatoires, des textes indéchiffrables et des sépultures. Leur système d'écriture est toujours en cours d'analyse. Nous savons néanmoins que leur ère remonte de bien avant celle des Mayas et des Aztèques. Tout est détaillé dans le carnet de bord ici présent.

Elle me tendit un vieux journal au papier jauni que je pus feuilleter tandis ce qu'elle continuait son récit.

— Les résultats d'analyse révélèrent que ce minerai – que nous appelons aujourd'hui « El Loco » – portait un ADN quasiment identique à celle du charbon. Les tests suivants révélèrent en revanche d'une puissance de combustion 10 000 fois supérieure à la moyenne. En d'autres termes, 1KG d'El Loco équivalait à 10 Tonnes de charbon, soit une économie de carburant considérable pour qui sait s'en servir.

— Cette « civilisation » qu'aurait-elle pu faire de ce charbon ? Peut-être connaissaient-ils la roue mais certainement pas la mécanique.

— C'est une énigme que nous cherchons encore à résoudre. Toutes les pistes imaginables sont à l'étude, mais gardons cela pour plus tard si vous le voulez bien. Revenons-en au gisement, sa découverte fut bien entendu gardée secrète et vous pouvez vous en douter, le site fut en quelque sorte « pillé » par mes aïeux qui travaillèrent par la suite à l'élaboration des actuels moteurs de l'Autochtone. Les ruines furent déclarées aux autorités Guatémaltèques qui en prirent la charge.

— Vous dites « les » moteurs ?

— Tout à fait, le premier à hélice et le second – plus tardif – à combustion, ils évoluèrent au fil du temps et nécessitent une maintenance des plus rigoureuse.

On toqua à la porte, le thé était servi, personne n'entra dans la bibliothèque et la Capitaine se chargea du service. Elle avait raison, je n'avais jamais rien goûté de tel. Un exotisme du cosmos. Tonique. La conversation reprit.

— Toujours est-il que – trop occupé à sa besogne – Nathan ne revint en France qu'après la guerre en 46. Loin des regards médiatiques, il garda secrètes ses dernières découvertes et ne revenait au pays que pour s'approvisionner en marchandises et recruter une troupe de « Traceurs ». Ingénieurs, scientifiques, physiciens, anthropologues, naturalistes historiens, militaires, pilotes, navigateurs, astronomes, océanologues, climatologues… Tels étaient les profils recherchés. L'équipe fut formée en 1 mois : 10 membres, 5 femmes et 5 hommes, 25-30 ans, français, britanniques, espagnols. Comprenez bien que pour ces personnes, la guerre leur ayant tout pris, la vie avait en quelque sorte… changé de perspective. Au moment de partir pour l'Amérique du Centrale, nul ne savait dans quelle épopée il s'embarquait si ce n'est la promesse d'un voyage dépassant toutes limites de leurs espérances. De son côté, Aliz forma une seconde équipe aux profils similaires mais d'origine méso-américaine : honduriens, cubains, costariciens. Me suivez-vous jusque-là ?

La bouche pleine de thé, je fis oui de la tête.

— Bien. J'en reviens à l'équipe de Nathan Saules qui rencontra celle d'Aliz lors de son arrivée en Amérique Centrale à la fin de l'année 46. Ensemble, ils formèrent El Gremio de Los Rastreadores (ou La Guilde des Traceurs en français).

— Alors ils entreprirent la construction de l'Autochtone…

— Exact. Elle s'acheva fin 49 début 50 après 3 années de chantier dans une cache sur les côtes du Belize. Pour sa première version, l'Autochtone ne fut conçu qu'à des fins d'exploration sous-marine. Comme vous pouvez le constater sur les plans sur le mur ci-contre, le vaisseau prend la forme d'une raie. 3 étages, une aile gauche, une aile droite et deux narines pointues à la proue « de manière à percer toutes substances de l'inconnu » ce sont les mots d'Aliz. La carapace extérieure est entièrement composée d'une épaisse couche de cuivre et de verre rendant l'appareil insubmersible et donc capable de supporter les plus fortes pressions. En 52, les Traceurs prirent le large et ne revinrent au quartier général que 15 ans plus tard après avoir sillonné l'ensemble des océans et archipels du globe. Je vous passe les détails mais si cela vous intéresse, toutes leurs découvertes se trouvent au premier étage de l'étagère sur votre gauche.

— 15 ans sans laisser de trace ? En pleine guerre froide… et l'Autochtone ne fut jamais repéré ? Il n'a pas pu passer là comme euh… un fantôme.

— Nathan et Aliz relatent en effet dans leurs mémoires des essais nucléaires, quelques pourchasses et tirs de torpilles avec les marines russe, américaine, chinoise mais… ils survécurent. Le monde change vite, et 20 ans après la guerre, les puissants du XXe siècle partaient tous à la conquête de l'espace. Chose que les Traceurs avaient aussi en tête depuis longtemps. De retour à la cache bélizienne, ils se lancèrent dans l'extension et la transformation de l'Autochtone en vaisseau interstellaire. Le chantier devrait durer 10 ans mais en possession d'El Loco, le rêve pouvait enfin devenir réalité. La carapace de cuivre fut renforcée par de la fibre d'aluminium, de kevlar et de verre, les hélices devinrent réacteurs, on ajouta des combinaisons d'astronautes à la scaphandrerie, etc. Cette pièce où nous nous trouvons demeura inchangée, elle est le cœur du vaisseau et nous l'appelons communément « le vieil Autochtone ».

— Et… pardonnez-moi mais comment ont-ils financé une telle opération ? C'est… titanesque.

— Essentiellement par la vente de pièces archéologiques – dont la plupart en or massif – à de riches collectionneurs. Certains traceurs arrivèrent aussi avec des fonds de toutes provenances (héritage, trésor de guerre...). Ce ne fut pas une mince affaire mais ajouter à cela deux ou trois opérations clandestines, des détournements de marchandises, la vente de mauvais charbon boosté au Loco et nous y sommes.

— Je vois ce n'était… pas la même époque.

— Bien entendu. Il faut bien savoir vivre avec son temps.

— Et en exploiter la condition.

Elle sourit, acquiesce puis reprend.

— Après de nombreux tests entraînants améliorations, l'appareil était fin prêt à s'envoler pour l'espace. En 78, les Traceurs embarquèrent à bord du vaisseau, prirent à nouveau le large et décollèrent depuis la mer comme le faisaient les hydravions de l'époque. Depuis ce jour, nous explorons les confins de l'univers se passant le flambeau de génération en génération. Les Traceurs s'accouplent entre eux et forment leur descendance aux métiers correspondants aux besoins du bord. Très généralement le leur. De par la Guilde, Nathan et Aliz semèrent les germes d'un nouveau genre humain, comme… une nouvelle espèce. À chaque naissance, notre corps s'auto développe de nouvelles gênes immunitaires pour améliorer ses conditions de vie dans l'espace. Et tout cela de la façon la plus naturelle qui soit, à peu près comme l'ont toujours fait la plupart des espèces terrestres depuis la nuit des temps.

— Et pourtant, tel que je vous vois vous êtes tout à fait humaine.

— Humaine mais pas terrienne. Voyez-vous, j'ai été conçue et mise au monde à bord de ce vaisseau, en orbite. Je n'appartiens donc pour ainsi dire ni à votre terre ni à aucune autre planète de l'univers. Il n'y a pour moi que cet appareil, il fut mon berceau, il est devenu ma maison, mon outil de travail, ma patrie. Cela s'impose à moi tout comme au reste des Traceurs de notre courte histoire.

— C'est insensé… De la science-fiction…

— Ou de la science tout simplement. Il faut le reconnaître, l'histoire est complexe mais parfaitement censée contrairement à ce que vous pourriez penser. Regardez ces armoires, tout est là, des siècles et des siècles d'exploration terrestre, aquatique et spatiale. Libre à vous de les lire. Après tout, cela devrait vous intéresser vous êtes reporter n'est-ce pas ?

— Je l'étais, mais maintenant je ne sais pas ce que la nature a fait de moi.

— Les invraisemblables se rencontrent.

— Ils se rencontrent oui…

Je pause, cogite, navigue un temps puis reprends.

— Et… où étiez-vous lors de la grande sécheresse ?

— Loin. Comme je vous l'ai dit, je n'ai pas d'attache avec votre planète, je ne la connais pas, je suis née trop tard pour cela. De nombreuses générations de Traceurs m'ont précédée, et je ne fais moi-même que passer. Néanmoins, dans mon enfance j'ai appris de vous, je vous ai vu vivre, nous gardons des traces de nos origines terrestres comme le langage, l'écriture, les mathématiques et autres disciplines essentielles à notre évolution… Cela passe par l'étude de la vie des hommes sur terre. Mais oui, j'ai en effet appris que votre terre a sombré et vous en connaissez mieux que moi les causes. Je vous ai vu à l'œuvre, terrible chose que de s'autodétruire.

— Peut-être nous en serions-nous mieux sortis avec vos réserves de Loco.

— Croyez-vous ? Et cela sous l'égide de quels nobles idéaux ? Nous refusons d'utiliser notre carburant à des fins destructrices, en vous offrant nos réserves vous n'auriez pas eu le temps de naître que l'humanité aurait déjà disparu.

Soupir.

— Vous avez sûrement raison. Peut-être pourriez-vous me renseigner sur le nombre d'années qui auront passé depuis la fin des miens ?

— Je vous l'ai dit, nous étions loin à ce moment-là et par ailleurs, le temps se dilate en voyage interstellaire c'est pourquoi nous ne nous tenons qu'à l'horloge de l'Autochtone comme unique repère temporel. Cependant, nous sommes revenus sur terre précisément pour en étudier les nouvelles composantes. Vous comprenez qu'elle est pour nous un sujet d'étude de premier ordre. Il n'est néanmoins pas encore question de la repeupler et est d'avis qu'elle pourra encore se passer de présence humaine pour quelque temps. À ce propos, saviez-vous que vous n'aviez jamais respiré un air aussi bon que celui-ci ? Nos analyses sont formelles, un degré de pureté jamais atteint jusque-là.

— Avec tous ces arbres et cet océan en face de moi, j'avais bien ça dans un coin de la tête oui. Difficile de faire pire qu'avant de toute manière.

— Mmh oui et… vous pensez donc avoir été naturellement cryogénisé… En voilà de la science-fiction.

— C'est ma théorie. Un heureux miracle.

— Votre histoire est touchante, une accroche à la vie de belle trempe. Qu'est-ce que cela vous fait de retrouver l'une de vos proches semblables ?

— À votre avis, Capitaine ? Vous avez vu mes larmes, c'est un choc, votre histoire aussi. Et puis, vous n'êtes pas totalement une semblable après tout.

— Bien évidemment. Je reformule ma question, qu'est-ce que cela vous inspire ? Voudriez-vous retourner sur votre plage à présent, ou préfériez-vous autre chose ?

— Autre chose ?

— Oui… autre chose – silence –. Je vous laisse méditer sur la question et vous reverrai demain. Vous pouvez retourner à vos quartiers à présent. Des vêtements propres et un repas chaud vous seront fournis, la bibliothèque vous est ouverte d'ici à notre prochaine rencontre.

— Entendu. Capitaine, une dernière question, s'il vous plaît.

— Oui ?

— Vos légumes, je n'ai jamais rien vu de tel. D'où… d'où viennent-ils ?

— De la serre. Reposez-vous Tom, nous reparlerons à demain.

— Je heuuum… Oui. À demain.

Année 2, mois 6 : (si ma mémoire est bonne les scaphandres débarquèrent sur la plage en fin de 5e mois, 3 à 4 jours s'étant écoulés depuis mon enlèvement, cela nous emmène donc aujourd'hui en première semaine du 6e mois de l'année 2).

Une serre ? À bord ? Et les graines, d'où viennent-elles elles aussi ? D'un autre monde, je suppose. Récit invraisemblable que je prends temps de digérer allongé sur ma couchette. Un repas chaud et un assortiment de vêtements m'attendaient en cabine. Je choisis un jean, un chandail beige, un débardeur blanc, une ceinture à boucle, des boots de trappeur et des chaussettes. Tout à ma taille, du propre, du doux, ça change des peaux de bêtes et de mon unique t-shirt de souillon.

Mais que voulait-elle dire par « autre chose » ? Certainement que cette rencontre m'inspire autre chose, était-ce une invitation à rejoindre les Traceurs ? C'est ce qui me paraîtrait le plus évident. Sans doute, la Capitaine Saules aura une proposition à me faire lors de notre prochaine rencontre. Mon digne savoir-faire, mes connaissances de l'ancien monde, ils auraient toutes les raisons imaginables à vouloir m'incorporer à l'équipage. Reste à savoir si je suis prêt à quitter ma chère terre pour voyager avec une bande de savants fous. Des évadés du monde… Excellente base de réflexion sur laquelle je pourrai poser mon sommeil.

Le lendemain matin, on toque à la porte mais en l'ouvrant je ne trouve qu'un petit-déjeuner fumant à mes pieds. Bon, il est clair et net que je ne rencontrerai pas d'autres membres de l'équipage avant que ma situation à bord ne soit clarifiée. Pour ce qui est du reste, je n'ai accès qu'au couloir et la bibliothèque, deux larges écoutilles m'empêchent d'avancer plus loin dans un sens ou dans l'autre. Étrange sentiment que de se retrouver prisonnier d'un si petit espace après avoir vagabondé l'air libre pendant si longtemps. Vivement les prochaines brises.

Je passerai la matinée à la bibliothèque. Tous ces carnets… Si bien classés en ordre chronologique, c'est colossal, intimidant. Il y a un volume sur l'ancêtre de Nathan Saules, il explora la nouvelle France en milieu de XVIe siècle sous les ordres de Jacques Cartier. Décidément, cette famille a l'horizon dans ses veines. Au mur est encadré un article de presse de 1980 intitulé « U.F.O over the Atlantic », la photographie montre bien un objet non identifié dans le ciel, je parie sur l'Autochtone.

Je ne sais pas trop quoi choisir parmi tous ces ouvrages alors, je commence par étudier de plus près les plans du vaisseau accrochés au mur. 67,80 mètres de longueur pour une largeur maximale de 29,35 mètres, 4 compartiments sur trois étages (0, -1, -2, une aile gauche avant et arrière, une aile droite avant et arrière), la salle des machines à la poupe, le poste de commande à la proue. Je ne décompte pas moins d'une vingtaine de pièces dans les entrailles du spécimen : poste de commande, machinerie, cabines, parties communes (cuisine, garde-manger, douche, laverie, toilettes…), la fameuse serre (et une… basse-cour ?), la salle du conseil, l'armurerie, la scaphandrerie, le laboratoire, le dôme observatoire, la salle des cartes, la salle de la solitude, l'atelier, le débarra, les égouts, et bien entendu la bibliothèque dans laquelle je me trouve (au -1). Je m'apprête à faire le tour de ce petit musée pour en observer les collections de plus près lorsque la Capitaine Saules fait irruption dans la pièce et me salue. Notre second entretien fut à nouveau enregistré et retranscrit ci-dessous :

— Vous examiniez l'architecture de l'Autochtone.

— Oui, c'est fabuleux.

Elle acquiesça d'un mouvement du visage et nous restâmes un moment en silence à fixer la bête mécanique. Puis elle entama la conversation.

— Tenez, voici votre nouvelle terre.

Nouveau choc émotionnel quand je la vois me tendre des clichés satellitaires de la planète terre portée par l'infinité noirâtre de l'espace. Toujours la même planète bleue, recouverte d'océans et enveloppée de nuages. Un continent vert aux rivages ravagés émerge des flots. Pas une trace, pas un murmure de nos 7 ex continents, tous furent engloutis sous l'incessant cycle des planètes. Voilà, maintenant j'en ai le cœur net, plus rien ne sera comme avant. Un monde périt alors il renaît.

— Ces photographies datent d'il y a 3 mois, juste avant notre atterrissage. Nous nous trouvons actuellement sur la côte sud-ouest du continent que vous avez sous les yeux, nous le survolerons bientôt pour en faire la cartographie complète au LIDAR.

— Vous avez un LIDAR ?

— C'est exact, mes prédécesseurs retournaient régulièrement faire escale sur terre pour faire le plein de ressources, connaissances et nouvelles technologies sur le marché noir. Le LIDAR fait partie de nos plus belles acquisitions. Nous l'utilisons pour cartographier les planètes que nous explorons et il nous informe sur la présence de toute forme de vie postérieure à notre arrivée en repérant de potentiels vestiges d'anciennes civilisations.

— Attendez, vous avez découvert des planètes autrefois habitées ?

— Bien entendu, certaines furent habitées, d'autres pas encore, d'autres trop hostiles à la vie, les mystères de l'espace nous dépasseront toujours. La terre n'est pas grand-chose dans l'univers, vous savez. Elle n'est qu'une colonie du vivant parmi tant d'autres et nous ne sommes qu'une petite espèce parvenue à s'extirper de son cocon pour migrer ailleurs.

— Mais encore faudrait-il qu'elle soit réellement notre cocon.

— Voilà qui est bien raisonné mais ne nous éparpillons pas trop vite, nous aurons tout le temps de discuter de cela plus tard. Revenons-en aux bases si vous voulez bien.

— Euuh oui retour aux bases.

— Bien, selon notre géologue, la durée de la dernière période glaciaire sur terre s'estime entre 18 000 et 30 000 ans. Ajoutez à cela une période interglaciaire d'une durée quasi identique et vous aurez une vague idée d'où vous vous trouvez sur l'échelle du temps.

Je reste silencieux un court instant, je me doutais bien de tout cela mais maintenant que la science l'atteste, me voilà devant le fait accompli. Tous ces chiffres millésimes m'envahissent l'esprit. Ahurissant, fantasque… Mouais bof je n'ai pas trop de mots pour décrire ce phénomène. Inhumain. Hors de tout. Ineffable.

— Ne cherchez pas à compter, je suis moi-même née il y a 367 ans, ce qui dépasse nettement l'espérance de vie d'une humaine. Ceci étant, je n'ai vécu en pleine conscience que 32 ans et ai passé les 335 années restantes en sommeil artificiel. Mon équipage et moi appartenons à la 47e génération de la guilde. Comptez que la vie d'un Traceur s'étale en moyenne sur 900 ans mais n'en vis réellement que 60 à 90 selon son état de santé et ce qu'il rencontre sur son chemin. Si l'un de nous meurt en mission, il est remplacé par son enfant ou son parent retraité. Considérez le simple humain comme passager du temps, cela en fait de nous une certaine forme de dompteurs.

— Mais le tigre a toujours le dernier mot.

— Le dernier croc ! Bien exact, nous ne serons jamais maîtres absolus du tigre temps. Il est nécessaire néanmoins de le domestiquer du mieux que nous pouvons ne diriez-vous pas ?

— Je pourrais le dire oui. J'en ai fait les frais.

— Les frais ? Ne vous considérez-vous pas comme bénéficiaire de votre sort ?

— Je ne sais pas, vous savez c'est... Si, c'est un miracle que je sois toujours en vie et encore plus que nous nous soyons rencontrés, je... c'est juste que... pour un simple humain c'est du surnaturel, mais comment... l'instinct de survie guette toujours à garder la tête froide et à vrai dire, je m'étais bel et bien résigné à ne plus rencontrer âme qui vive avant de trouver la mort. Vous, les Traceurs, vos découvertes, vos voyages, les clichés de la terre... Après m'être autant ensauvagé, ça fait beaucoup de chose à la fois pour un simple humain vous voyez.

— Vous n'êtes plus un simple humain, vous avez dompté la mort dans votre hutte et cela aussi dépasse l'entendement. Si la terre vous a réincorporé à ses propres éléments, ce n'est pas un hasard.

— Ou peut-être me trouvais-je juste au bon endroit au bon moment et basta.

— Basta ?

— Ça veut dire quelque chose comme « c'est tout » ou « point à la ligne ».

— Basta... mmh entendu.

— Si vous êtes capitaine, où sont vos parents ?

— Les Traceurs prennent en moyenne leur retraite à l'âge de 55 ans, voilà 2 ans que je suis seule aux commandes de l'Autochtone. Ma mère était capitaine mon père explorateur, elle me forma à son métier puis je fus son second puis nous inversâmes les rôles avant de me laisser à mes responsabilités. Mon père en fit de même avec mon jumeau. Nous passons notre jeune enfance entre vie de vaisseau et colonie avec nos grands-parents. La colonie étant le lieu de retraite des Traceurs.

— Vos parents habitent une colonie. Sur… une autre planète.

— Avec mes grands-parents… C'est aussi là que reposent nos défunts, Nathan, Aliz et toutes les générations d'Éclaireurs nous ayant précédées.

— Rien de plus normal.

— Vous vous y ferez, Tom. Que diriez-vous de rejoindre la Guilde des Traceurs ?

— La rejoindre ? Eh bien… c'est direct.

— Ne me dites pas que vous n'y avez pas réfléchi.

— Si mais… sans proposition officielle, je ne pouvais pas…

— Eh bien la voici.

— À quoi pourrais-je vous être utile, je ne suis ni scientifique ni savant ni…

— Je le sais bien, mais ne vous sous-estimez pas pour autant, vous êtes reporter, explorateur, aventurier… En vous lisant, on en apprend beaucoup sur vous, votre tempérament, votre caractère, j'apprécie votre rapport aux choses, la façon dont vous documentez et vivez votre récit… À ce propos, que veut dire *Agriascène* ?

— Ère sauvage

— « Ainsi s'achève mon odyssée à l'aube de l'ère sauvage… » Mmh plutôt bien résumé.

— Et… J'ai ma petite idée sur la question mais pourquoi l'Autochtone ? Pourquoi les Traceurs ?

— C'est en effet assez simple à deviner. Au-delà de simples terriens, Nathan et Aliz s'imaginaient plutôt comme natif d'un ensemble bien plus vaste que la planète terre. Ils se voyaient plutôt comme des autochtones… de l'univers. Voici pour le nom du vaisseau. Quant aux Traceurs, notre principe est de tracer des routes, vers l'immensité, l'inconnu… Toujours plus loin. Alors du principe vint notre titre.

— Hm, c'était déjà assez limpide, mais merci pour la clarification.

— Tom, je vous propose une place à bord de l'Autochtone, vous y occuperez les fonctions de reporter d'épopée, explorateur et spécialiste de l'ancien monde. Vous aurez votre propre cabine et vous devrez participer à la vie commune du vaisseau. Vous aurez le devoir d'engendrer votre descendance et de la former à votre métier. Étant donné votre cas, une exception sera faite quant à votre âge de retraite. Je vous laisse le choix entre partir avec nous ou rester vivre sur votre plage. Libre à vous d'en décider.

— Capitaine, merci pour votre proposition. Vous le savez, je n'ai plus grand-chose à perdre alors comment pourrais-je refuser ?

— Dois-je prendre cela pour un oui ?

— C'est un oui. Mais si cela insuffle la fin de mes jours ici, j'aimerais passer quelques derniers moments sur la terre ferme avant de rejoindre votre bord.

— Avec les analyses LIDAR, nous ne lèverons pas l'ancre avant 2 semaines. C'est pourquoi vous pourriez même prendre le temps de saluer votre Lula et sa petite famille une dernière fois avant le départ.

— Oui, j'y compte bien.

— Tom, je ne vous souhaite pas encore la bienvenue parmi nous mais sachez que l'équipage est impatient de vous rencontrer. Et… ce fut un plaisir d'échanger avec vous aujourd'hui.

— Mm… Merci.

Traceur

Année 2, mois 6

Nouveau flash, je me réveille en milieu d'après-midi allongé sur mon lit dans la bicoque. Un petit mot : « Tom, pardonnez nos méthodes, mais elles auront grandement facilité votre retour sur la terre ferme. Vous n'avez dormi que trois heures, prenez les dispositions nécessaires pour préparer votre départ à bord de l'Autochtone. Nous appareillons dans 15 jours. » Signé la Capitaine Saules.

Ils sont décidément bien attachés à leurs « méthodes » et j'ai hâte d'en apprendre les techniques. Sans doute un nouveau dard hypodermique. Nous sommes toujours au 6e mois de la deuxième année et dans 15 jours, j'embarque pour je ne sais où si ce n'est l'extrême inconnu. Aucune trace de l'Autochtone, je ne l'aurais donc toujours pas vu d'extérieur. Demain départ pour la jungle… Barda léger, coutelas, javelot, poisson séché… Je revêts mes anciens vêtements et plie mon uniforme de marin sur le lit. Il m'est décidément impossible de maîtriser toute excitation et je prends la route en pleine nuit.

Lula retrouvée après 4 bonnes journées de marche, j'installe un campement sommaire et nous partons chasser. Apaloosa, Choctaw et Cherokee nous rejoignent un peu plus tard. Ah mes panthères bien aimées, avec elles c'est toujours le même rituel, 6 jours de traque, de flambée nocturne, de viande grillée, de chant de jungle, d'un simple regard qui dit tout et d'une amertume grandissante. Oui l'amertume car c'est bien la dernière fois que nous chasserons ensemble elles et moi. En plus de la peur, les fauves ressentent-ils le chagrin des hommes ? J'ai le sentiment que Lula pourrait lire toutes mes émotions alors oui je pense qu'elle sait. Pour deux êtres que tout oppose, cette relation était toute aussi improbable qu'elle ne pouvait durer éternellement. Elle aurait même pu s'achever d'un fier et habituel coup de patte sur mon visage de proie agonisante. Néanmoins défiants les fondements des lois naturelles, nous sommes là, amis au coin du feu, le gibier du jour nous farcissant la panse et mes rugueux lutins d'amertume produisant à la chaîne mes lourdes larmes du lendemain.

À l'aube, une dernière caresse qui devient première longue accolade. Moi qui m'éloigne le cœur en éruption, elle qui d'un regard, scrute mon évaporation dans la jungle. Voilà, c'est fait. Adieu Lula de toutes les blessures que tu m'as infligées, celle-ci est la plus *scarifiante*. Adieu aux trois jeunes adultes, grandissez, aimez, vivez.

J'arrive à la maison mon stock de sanglots écoulé, ils sèment suffisamment la terre de leurs graines à présent. Demain, j'embarquerai à bord de l'Autochtone. Est-ce un rêve ou un cauchemar que je quitte ? Je ne saurai que dire, les deux ne se seraient-ils tout simplement pas livré bataille tout au long de mon périple ? Peu importe, je suis vivant et la rêverie infernale continue. Elle s'apprête même à décoller.

La nuit tombe et je fais grand feu de mon radeau inachevé qui à défaut de sombrer héroïquement dans les océans, fera naufrage sur un matelas de cendres dont les fines particules s'élèvent en rythme sous le souffle saccadé du tam-tam. Quant à toi cher carnet, tu ne finiras pas mangé par des poissons.

Jour-J, mon sac est prêt. Une dernière entaille au calendrier solaire et une signature : « Tom Lancéphale, survivant d'un entre deux mondes. Je reviendrai ». 1ère œuvre pop culture du nouveau monde. Peut-être que dans 1000 ans, des hardes primitives se prosterneront devant ce simple poteau solaire et bariolé. Peut-être là ai-je créé un mythe, une future divinité, une future religion. Peut-être est-ce une bêtise...

La matinée passe, et je profite de ce temps libre pour détruire mon barrage à pêche pour n'en plus piéger les poissons. Dernier déjeuner. Ronde nostalgique, adieu à ma bicoque, adieu à la déesse des rocheuses, adieu aux tortues, adieu à Lula... Apaloosa, Choctaw, Cherokee.

L'Autochtone émergea des flots à 17 h précises sans même perturber l'apathie des vagues. Balafré, de surface grise, blanchâtre et transparente, il avait vraiment l'allure d'une raie géante empaillée d'hommes et de machines. C'était donc ça qui devait nous transporter au dehors du connu des hommes. La capitaine Saules vint à ma rencontre en une sorte de zodiac et me fit entrer par l'arrière du vaisseau de façon à accéder directement aux habitacles (déserts de monde à cette heure de la journée). Après avoir passé l'écoutille et quelques coursives je découvris ma cabine, 1,50 x 2,50 m, intérieur cuivre, une couchette, un lavabo et sa glace, un bureau et une petite armoire. J'avais une heure pour m'installer et m'acclimater à ma nouvelle bicoque, après quoi je serai présenté aux autres membres de l'équipage. Une glace... Quel frisson d'à nouveau pouvoir observer son double sous tous les angles. J'aurais pu m'y bloquer l'esprit pour quelques heures tant il y avait à observer mais plus urgent m'attendait ailleurs.

Saules toqua à ma porte et me pria de la suivre jusqu'en salle de réunion. Traqué par le trac j'avançais au travers des coursives du vaisseau, quelle idée de se retrouver face à un tel groupe d'inconnus après tant d'années de solitude. J'en tremblais des membres.

— Vous êtes prêt ? me demanda-t-elle chaleureusement lorsque nous arrivâmes devant la porte de salle commune.

Je lui répondis d'abord d'un drôle de mouvement de lèvres suivi d'un glapissement puis d'une longue expiration accompagnée d'un mouvement de tête approbateur.

— Allons-y, Capitaine.

— N'ayez crainte, ils vous ont déjà adopté.

Et nous entrâmes dans la pièce. Là nous attendait La Guilde des Traceurs, dont je fais à présent partie. La Capitaine Saules nous présenta moi, mes antécédents et ma mission en quelques mots puis invita chacun à venir à ma rencontre pour se présenter en retour. L'accueil fut bienveillant et joyeux. Tous ces visages expressifs… C'est trop d'émotions pour mes yeux qui débordent de larmes. De poigne en poigne, je rencontrai tous les corps de métier du vaisseau (les prénoms s'annoncent puis s'effacent sans sauvegarde en mon esprit) : ingénieur, navigateur, scientifique, botaniste, logisticien, astrologue, géologue, océanographe, climatologue, médecin, mécanicien, explorateur, cartographe, traqueur…

Tout le monde retourne ensuite à ses occupations car j'apprends du capitaine Saules que nous appareillerons à l'aube, la mer sera calme. Elle me révélera notre destination lors du briefing de mission une fois que l'Autochtone se sera positionné en stationnement orbitaire à 500 km au-dessus de la terre. Rien que ça. Maintenant, place à l'effervescence dans la fourmilière, tout le monde s'active et je me fais tout petit.

D'ici là, j'ai champ libre pour m'acclimater à mon nouvel environnement, mettre à jour mes notes, prendre un moment de solitude. Le repas sera servi au poste de chacun. Beaucoup de questions restent encore sans réponses quant au fonctionnement de la vie dans l'espace à l'intérieur du vaisseau mais j'ai bien compris qu'elles arriveront en temps voulu. Aliyana la médecin de bord est venue m'examiner et m'a déclaré apte à naviguer sans me donner d'instructions complémentaires. Elle m'administra une dose de je ne sais quel sérum qui facilitera l'adaptation de mon corps au cosmos. Rencontre brève et sympathique, je n'ai même pas pensé à poser de questions tant j'ai perdu l'habitude de dialoguer.

5 h 30, le soleil à bien baillé ses enluminures et se tient désormais debout. Je me lève et rejoins la salle des commandes où tout le monde se tient à son poste paré au décollage. La capitaine Saules m'offre une très appréciable dernière bouffée d'air frais ainsi qu'un dernier coup d'œil en direction de ma bicoque dont je grave à jamais la photographie dans un coin de tête. Elle me tend un nouveau carnet vierge en me disant « Pour un nouveau départ. Vous verrez, l'univers a tant à offrir au cerveau humain ».

De retour au poste de commande, j'écris ce dernier paragraphe avant que toi, présent cher journal, n'aille trouver ta place et tes prochains lecteurs au sein des armoires de la bibliothèque de bord. Merci pour tout compagnon. On allume le moteur, ça vibre d'abord de partout puis ça se calme. Pour ce premier décollage, je me trouve aux premières loges, juste devant la vitre panoramique en tête de raie, les trois navigateurs et la capitaine sont postés sur les antennes gauche et droite du vaisseau. L'Autochtone effectue un quart de tour sur lui-même et se place dans l'axe de l'infini océan. J'ai les tripes en fusion.

Une fois parés à décoller, Saules adresse un « feu aux gaz » à Timón (l'un des pilotes) qui répète la même chose au haut-parleur et derrière nous tout le monde s'active jusqu'en poupe de raie. Fuego al gases ! Ça y est, les turbines sont en marche, nous avançons, glissant à fleur d'eau comme l'aurait fait un avion sur le tarmac. Ça vibre à nouveau, ça tremble, ça tangue. J'entends un navigateur décompter 50, 80, 110... puis à 380, il s'arrête et c'est mon champ de vision qui décolle d'un coup avec la carlingue du vaisseau. Nous surfons d'abord en ligne droite sur quelques centaines de mètres au-dessus de l'eau puis une fois stabilisé, l'appareil démarre son ascension à pleine vitesse. Oh, que dire de cette sensation d'apesanteur, nous paraissons si légers alors que l'appareil qui nous porte dépasse de loin les 300 tonnes. En prenant de l'altitude j'ai le regard fixé sur ma terre qui se dérobe au travers des grands hublots latéraux du poste de commande, elle rétrécit à vue d'œil et ne sera bientôt plus qu'une grosse boule bleue lévitant dans l'espace. Et moi petit grain de sable en fuite, je ne sais quoi ressentir. Peur est excitation, vertige est adrénaline, mal du pays est envie d'ailleurs.

Adieu terre péri-naissante, je vais là où va le feu.

À Lula, Apaloosa, Choctaw et Cherokee. Aux Traceurs.

Fin de 1er journal, Tom Lancéphale.

Imprimé en Allemagne
Achevé d'imprimer en mai 2022
Dépôt légal : mai 2022

Pour

Le Lys Bleu Éditions
40, rue du Louvre
75001 Paris